# CLAIMING THE FUTURE

The inspiring lives of twelve Canadian women scientists and scholars.

Prepared by Elizabeth May for the Committee for Advancement of Women in Scholarship of The Royal Society of Canada

Editorial advisor:
Francess G. Halpenny, F.R.S.C.

Pembroke Publishers Limited

Pembroke Publishers
538 Hood Road
Markham, Ontario L3R 3K9

## Canadian Cataloguing in Publication Data

Claiming the Future

Prepared by Elizabeth May.
Text in English and French.
Title on added t.p., inverted: Se bâtir un avenir.
ISBN 0-921217-71-4

1. Women scholars – Canada. 2. Women – Education (Higher) – Canada. I. May, Elizabeth. II. Royal Society of Canada. Committee for Advancement of Women in Scholarship. III. Title: Se bâtir un avenir.

HQ1397.C53 1991     305.43'0901     C91-095044-XE

The "Women in Scholarship" committee and The Royal Society of Canada are grateful to the twelve distinquished women who graciously consented to be interviewed. Requests for information should be forwarded to

The Royal Society of Canada
207 Queen St., 3rd floor, P.O. Box 9734
Ottawa, Ontario K1G 5J4
Telephone: (613) 992-3468
Fax:       (613) 992-5021

As Canada's National Academy, the primary objective of the Royal Society of Canada is to promote learning and research in the Arts, Letters and Sciences. It draws on the breadth of knowledge and expertise of its membership and the large scholarly community beyond to recognize and honour distinquished accomplishments; promote public understanding of scholarly, scientific, technical and cultural issues; and foster the free circulation of ideas through international exchanges and participation in scientific and cultural programs.

Design: John Zehethofer
Cover photography: Ajay Photographics
Typesetting: Jay Tee Graphics Ltd.

Printed and bound in Canada
9 8 7 6 5 4 3 2

# Contents

# Introduction

This book was written to encourage more young women to claim a future for themselves in scholarship. It hopes to give this encouragement by introducing them to twelve distinguished women who claimed their future in scholarship in a variety of ways, both in Canada and in the world.

What do we mean by scholarship? In part, it is the pursuit of curiosity about serious questions that relate to the lives of people; to works of the creative imagination; the operation of human and animal bodies, of plants, of rocks, of the waters of the earth, and the universe of sun, moon, stars and planets. But there is more. Scholars continually seek information and insight in a trained, dedicated habit of observation. This is true whether they work in a library, in an experimental laboratory, or in the field excavating for evidence of ancient civilizations or examining the Canadian Shield. Many of them are teachers in universities or colleges, providing knowledge to undergraduates and assisting graduate students in learning the ways of research. Some scholars are members of staff in institutions such as museums or libraries. Some are employed in government, medical, or industrial research laboratories. All scholars share their discoveries — through their teaching, their publications in books and articles, their addresses to fellow scholars and the general public or their comments in the media. Whatever the activity, their concern is always the pursuit of knowledge.

Scholarship normally proceeds out of graduate work at a university or research institution. Women now make up a large proportion of the students in undergraduate studies. They are also numerous in most fields of graduate study. But there are not yet enough women among senior university professors or in senior research positions, especially in the sciences.

This scarcity of women in scholarship is not acceptable. It contradicts the protection against discrimination on the basis of sex given in the Charter of Rights and Freedoms. It fails to recognize the ability women have shown as students at all levels. It is unfair to the number who have chosen graduate work. It also denies to scholarship the contribution women can bring as women to the subjects they might choose as their life's work. Why are we in this sad state? Too often in the past women have been discouraged from a scholarly career, or a scholarly career in the field they prefer, by comments or actions that suggest women don't belong there. Now, however, more and more of them are refusing to be turned aside. Breaking through barriers, they are showing how to live full lives as fine scholars and as women. Each one of the twelve women in this book has made such a demonstration vividly.

The book is sponsored by The Royal Society of Canada, through its Committee for Advancement of Women in Scholarship, established in 1989. The Committee does several things. One is to support the advancement of women by encouraging greater numbers of them to consider careers in scholarship from the time they are in high school, and especially to consider that the world of science can be just as much theirs as the world of literature, language, history or sociology. A second aim is to encourage participation in scholarship by giving an annual award to an outstanding woman graduate student and by sending several distinguished women scholars each year across Canada to lecture on campuses and so serve as examples to other women. A third aim is to assist in the election of more women scholars to membership in the Society itself. The Royal Society of Canada, founded in 1882 to represent outstanding achievements in the arts and sciences, knows that the list of its 1,300 members has yet to reflect the potential of Canadian women in scholarship.

The Committee hopes that students and their teachers and counsellors will enjoy these stories of twelve women who have found a purpose for themselves in research purpose they have followed despite many hindrances. The women profiled in this book have had absorbing challenges in their careers and interesting lives as persons. They believe women can accomplish what they set their minds and hearts to do. All of them say to you: "Dream and plan. Don't be discouraged. Hang on and work. It's worth it! This is a genuinely exciting life, and you'll never lose the thrill of discovery, of being part of the quest for knowledge." That quest never, never stops. Now that more and more women are joining in the quest, the way is becoming easier for them all. The picture is changing. Claim the future for yourselves!

*Francess G. Halpenny, F.R.S.C.*

# Monique Frize
electrical engineer

---

*"Girls go into chemistry," Monique was told.*
*"Girls do not become engineers."*

---

"I always loved math," Monique Frize says, smiling as she remembers the enthusiasm with which she devoured problems in algebra and geometry in high school. She was a student at a private Catholic girls' school in Ottawa; the nuns could hardly keep up with her appetite for mathematical challenges.

She has no idea what influenced her to love math and science. Both parents were writers and her father made a career as a librarian. She was the only one in a family of seven children with a passion for something other than literature and the arts. As the oldest, she was always a leader. And from high school she knew, "Science is for me!"

Her parents and teachers supported her desire to pursue studies in science. By the end of her second year at the University of Ottawa she had settled on a career in engineering. It was then that she hit her first roadblock. She was a good science student, but her male faculty advisors and the dean of engineering did their level best to discourage her. Girls in a science program in the early 1960s were rare, and there were stereotypes for them within the sciences. "Girls go into chemistry," Monique was told. "Girls do *not* become engineers."

To this day, Monique resents the time she feels she wasted in chemistry in her third undergraduate year. Finally she put her foot down: "I want to be an engineer!" It meant doing that third year all over again, in another area. She enrolled in an accelerated program at Carleton University, hoping to make up for lost time. She took one and a half as many courses as her fellow engineering students, studying electrical engineering and first year engineering at the same time. She was the only woman student in engineering and there were no women faculty members. She confronted the macho behaviour typical of engineering schools — drinking and telling sexist jokes. Yet Monique hung on tenaciously, encouraged by her fiancé, a young man also in the throes of mastering electrical engineering. She flunked some courses, but recognized that the failure was a result of taking on more than any one else would dare, not a lack of ability. She accepted the setback and returned to the University of Ottawa to continue her studies.

Just before her school year resumed at the university, she married her fiancé and mentor. Fifty-one days after the wedding, tragedy struck. Her young husband was killed in a car accident and she was left more alone than ever before in a faculty without women, in a class without women. It is little wonder that she emerged in a class by herself. She persevered through the emotional trauma of her husband's death. She passed all her courses, though her grades were not as good as she would have wished. The next year her grades were higher, and by her final year she had strong marks. Encouraged by her academic standing, she applied for the prestigious Athlone Fellowship to support two years of graduate study in Great Britain. This fellowship had been created for Canadian graduate students in engineering. In 1967, Monique Frize became the first woman to win it. She graduated in 1970 from Imperial College in London with a master's degree in electrical engineering, specializing in engineering in medicine.

She has never regretted her decision to become an engineer. In her work life she has proved that engineering is a "people job". She worked as a consulting electrical engineer to several hospitals in southern New Brunswick, where her francophone background was an asset in that province's bilingual environment. "Working as a clinical engineer, helping doctors and nurses with their equipment, was a super job. And hospitals are already an environment where women are not uncommon. I provided a diagnosis of the machine, so it wouldn't give out the wrong information."

Her research on electrical burns gave her international recognition, and in 1979 she was asked to join an international working group in clinical engineering. In 1985 she was elected to the chair of the board of the first international clinical engineering division. In the following year, she graduated from the University of Moncton with an MBA, and she completed her doctorate at Erasmus University in the Netherlands in 1989.

Now Monique is determined to spread the word to young women just starting their university studies, as well as those in high school. "Keep your math and science up," she urges. "If they are weak, take some courses to upgrade."

In 1989 Monique Frize was appointed to a unique and newly created position: the University of New Brunswick/National Sciences and Engineering Research Council/Northern Telecom Chair in Women in Engineering.

A major part of her job is to provide a role model for women in engineering across Canada. "Engineering is not just for people in hard hats in the mud," she says, attacking the stereotypical view of her favourite profession. "It's a real people job. It's about solving problems and making decisions."

In 1968, Monique had remarried. Her husband's occupation is very different from her own. Now that she has moved to Fredericton and to her chair in Women in Engineering, he has followed her career move. They have a teenage son who wants to be a musician.

Monique is worried, however, about her profession. Canada is not producing enough engineers to keep up with demand. In Japan 630 people out of every 100,000 become engineers; the number in Canada is just 210. "We already have a shortage of clinical engineers in Canada, and by the year 2000, we'll have shortfalls in all the different areas of engineering. The untapped potential for engineers in Canada is women and girls." Monique's conviction is close to a crusade. She presents it forcefully on television, on radio and in the print media. In February 1990 the federal government launched an 18-month study, in which four national organizations will participate, to examine ways of attracting and keeping women in engineering. And who is leading the study? Monique Frize!

Her advice: *"Be what you want to be. Be dedicated to your goal. Believe in yourself!"*

# Sylvia Edlund

botanist

---

*The important thing about science is to know how to think, how to observe. The academic prerequisites, while essential, don't mean as much as knowing how to think.*

---

Ask Sylvia Edlund of the Geological Survey of Canada why she became a research scientist and you may be startled by her answer: "I didn't like to type for someone else and I hated being a waitress." Sylvia chose science because it's fun.

Growing up in the rural Midwest of the United States and in Ontario, she was probably a naturalist from birth. "I was the kind of kid who'd stop and pet every caterpillar." She came from a family that stressed math and physics, but she could not be forced into liking such subjects. She loved living things and the natural world. Unfortunately, she had two rather significant obstacles to excelling at anything as a young girl. One was her health. As a teenager, she had a chronic, crippling illness that forced her to use crutches and kept her bedridden a great deal of the time. The second was her school: it was behind the times and prepared her poorly for any future. She remembers with a hearty laugh that the physical education teacher was also the biology teacher, and he was not interested in biology. "In many classes, he had us counting gym uniforms and shoes." But the first of her obstacles became an opportunity, for her doctor insisted that she was smart enough to go on to university. He helped her gain admission to a good one, Case Western Reserve University in Cleveland, Ohio, and he insisted that she plan for an independent future.

Perhaps influenced by the kindness of her doctor and her personal experience with illness, she started college, on crutches, as a biology major, intending to enter medicine. Even with her weak high school background, she was able to keep up with the science courses. She maintained a high C average and she thrived in biology courses and worked as a lab technician. She stayed with medicine through her fourth year in college, but the stress of pre-med was making her illness worse. A large part of the stress was caused by her growing recognition that she couldn't relate to doctors. "Some of them had become hardened to suffering," she remembers feeling. But in the course of her studies she had stumbled across the field for her — natural history. She signed up for a course, only to find that she was the sole student. The professor didn't cancel the course. He taught Sylvia in a one-to-one tutorial, and he ran this course, and others she took, as usual, with field trips to forests, dunes, streams and lakes. They went on these trips winter or spring, rain or shine, Sylvia on her crutches. She loved the exploratory nature of the science, and she gained physical strength with the exercise. By the end of her second natural history course she was walking without assistance, far exceeding medical expectations.

Straight from Case Western Reserve, Sylvia headed for the University of Chicago to get her PhD in botany. There she was one of the last students in an old-fashioned school of ecology. She again learned a great deal by the apprenticeship approach. "The important thing about science is to know how to think, how to observe," she says. "The academic prerequisites, while essential, don't mean as much as knowing how to think." She made a decision about what exactly she would research with an eye to the potential physical limitations of her illness. "I figured I shouldn't study anything I'd have to chase." Sylvia chose to study the ecological life history of plants. She wanted to answer questions such as "Why does a plant flower when it does?" "Does its flowering time change from one location to another?" "What is the effect of daylight on flowering?"

To find answers she studied a particular plant, a common one, the pink corydalis (Corydalis semperviveris). It has a large range through North America, is fairly easy to find, and no one had studied it before. It was, she recalls, "a cooperative plant". It grows readily and has copious seeds for laboratory experiments. Her very first experiments to test the factors that affected flowering were successful. She established that the length of daylight was the key factor. Flowering was exquisitely timed to long days. Her field and lab experiments were really enjoyable and they were not harmful to plants or to persons, a consideration that remains important to Sylvia. "I always wanted to have a job that does no harm to the environment or to people."

After completing her doctoral degree in 1970, Sylvia found it difficult to find work in botany. Finally she got a job as a typist and part-time naturalist in an arboretum. "Typing was one high school course that came in handy," she laughs. But fairly soon she landed a research position with an international team organized by the United Nations to prepare an inventory of the plant and animal life of the far north. She fell in love with the wildlife, the flowers, the land itself. She has done research in the Arctic for the last twenty years. And her health and mobility problems have disappeared.

In 1974, she became a research scientist with the Geological Survey of Canada, a branch of the federal government based in Ottawa. Her research work is primarily in the Arctic, where she camps with other scientists every summer. Her work involves regional scale mapping of plant communities in relation to the surface geology. It has led to studies of geological versus climatic control of the distribution of plants. They made possible a new, detailed zoning of Arctic vegetation. Her observations create a stir, even when she points to things outside the field of botany. On one recent trip to the far north she noticed that an astounding number of landslides suddenly occurred in a valley on remote Ellesmere Island. The summer had been quite hot and dry. Scientists had believed that landslides occurred only when there had been a good deal of rain. Sylvia's work led to the discovery of the significance of another source of moisture—within the soil. The melting of massive ice within the permafrost caused the landslides. But this alternate source of moisture also enables a richer and denser vegetation to thrive in a region which, according to climate, should be a desert. A whole new field of study was opened up on Ellesmere, one that is particularly important in view of concerns about global warming.

Sylvia has brought more than science to the north. She has also brought art. As a child she loved to draw, and a friend of her parents taught her "how to see". She has always sketched and painted, and now applies her artistic bent to her observations of the Arctic. Her paintings of the wildflowers of the Arctic have been published in a book by Indian and Northern Affairs Canada, at Yellowknife, for schools in the Northwest Territories. "Some artists see the Arctic flora, fauna and landscape in pastels," she remarks. "I see them in shocking, bright colours. Vivid pink, purple, yellow." In lighter moments she draws cartoons of her field colleagues and events during the summer trips.

To Sylvia, science is a big detective story. *"You find a piece here and another piece there and try to fit them together. If you like solving puzzles and games, and have lots of curiosity, you'll like science."*

Photo: Kéro

# Fernande Saint-Martin

art historian

---

*Fernande refused to follow the usual course for female students.  In those days girls went to a convent and boys went to a college."*

---

When you ask Fernande Saint-Martin about her career, you have to specify *which* career. She has had three of them and has been successful in each. Fernande Saint-Martin's existence defines "joie de vivre". She's good at life.

Fernande grew up in Quebec in the 1940s, years as different from the 1990s as if a century and not merely decades separated them. Fernande remembers the province that is now known for a lively culture and a vibrant political scene as a rigid, doctrinaire society where freedom of artistic expression and political experiment were discouraged. Fernande's grandfather, Albert Saint-Martin, was Quebec's first socialist leader. He had worked to organize groups for the unemployed and for consumer protection. For such activities he was arrested and jailed. Her father was less political and less outspoken, but he worked toward the greater public good. He was a doctor who never became wealthy because he was employed in the civil service, visiting remote areas of the province and practising preventive medicine. Her mother struggled to make ends meet as she raised their six children in Montreal.

The turning point in Fernande's life came when a new artistic movement sprang up in Quebec in 1948. Artists Paul-Emile Borduas and Jean-Paul Riopelle led in the signing of the *Refus Global*, a manifesto striking out against the political intolerance of the times. The art of the Automatist movement which followed was a distinct product of Quebec society. "I was so excited and so proud," she remembers, "that at last we could produce an original cultural product. It gave me a sense of confidence I had never had before."

Fernande refused to follow the usual course for female students. "In those days," she explains, "girls went to a convent and boys went to a college." Instead she enrolled in the Institute of Medieval Studies at the University of Montreal. There, as she suspected, subjects were presented in a less superficial way than they had been at the convent. After she completed the medieval studies program, she went on to graduate from the University of Montreal in 1948 with bachelor's degrees in both fine arts and philosophy. But further studies at this University were abruptly cut short. She was told that she would never be accepted at the University of Montreal as a graduate student because of her grandfather's political reputation.

Undaunted, Fernande decided to equip herself for an escape from the Quebec of the late 1940s. She enrolled at McGill University hoping to teach eventually in a French language department in an American university. In 1951 she completed another B.A. with honours in French literature, and in 1952 she left McGill with a master's degree in French studies. Fernande had never had a scholarship, and there were then no government programs to assist with a university education. At twenty-one she had left home to live on her own. In her last years of university she had worked part-time as a journalist for youth and union newspapers. She was paid poorly, but she saved every penny, and she learned the craft of journalism on the job.

In 1953 she took three years' worth of savings and boarded a cargo ship bound for Rio de Janeiro. She lived in Brazil for a year, teaching French. But she realized that Brazil had many of the problems of a religiously intolerant society that she had left behind in Quebec. She decided that, if she were going to live with such problems anyway, she might as well deal with them in her own milieu.

Back in Quebec, she couldn't find a job despite all her degrees and experience. For six months she worked as a switchboard operator, until she spotted an advertisement for a translator at La Presse. Through this unlikely route, she reached her first important job as a journalist and the first of her three careers began in earnest. She ended up as editor of the women's pages of La Presse, and stayed there for six years. In this period she met her future husband, an avant-garde young artist named Guido Molinari. Together they opened and managed the first gallery for abstract art in Canada, L'Actuelle. When she decided to marry and have children, Fernande was in direct opposition to La Presse's policy on female employees: a) a woman employee who got married was to be fired; b) the place of a mother was at home, and not at work. Because by that time Fernande was too valuable to the paper to be fired, the policy was dropped for her, but not for the other women employees of the newspaper.

In 1958 she published her first book, *La littérature et le non-verbal* ("Literature and the Non-Verbal"), based on her research work, and presenting theories on both verbal and visual art. She and her husband had two children. Fortunately, he worked at home in his studio, and he could look after the children. In 1960, Fernande had enough freedom to launch the French edition of Chatelaine magazine in Quebec. She was editor for the magazine's first dozen years, presiding over a growing feminist dialogue while Quebec entered its "Quiet Revolution". In that revolution the face of Quebec society was transformed. During those years Fernande also completed a doctorate in French studies at the University of Montreal.

In 1972 Fernande began her second career in striking fashion. She assumed the position of director of the Museum of Contemporary Art in Montreal. Well known as an art critic in both Canadian and international art magazines, she had already published a major work on *Structures de l'espace pictural* ("Structures of Pictorial Space"). As for the Museum, through an active program of exhibitions always accompanied by catalogues, debates, films, and conferences, it quickly doubled its audience. But Fernande felt that a lack of research in contemporary art was a serious problem in helping the general public to establish fruitful relations with the works of contemporary artists. So she decided to direct her activities towards teaching and research, first at the University of Laval, and second at the University of Quebec at Montreal. At UQAM, as a professor of art history, she is a pioneer, and an international leader, in a new discipline: visual semiotics — the study of visual language. Most people look at a painting and merely think it is beautiful. Fernande's eye analyses the piece. What is it *saying*? *How* is it communicating to our non-verbal senses? How is vision organized? Here is a new kind of research, merging art and science. It's the kind of work that interests artists but also computer experts. And it's one of the reasons she was awarded the generous Molson Prize in Humanities and Social Sciences in November 1989. That same year, she was made a member of the Order of Canada.

Fernande's advice to young women is to follow their own interests and to ignore people who think they should be "practical". *"When I was young, I was told there would be no jobs in the arts or literature. Now I could have a job anywhere. No one knows the future, so you should invest yourself as strongly and as deeply as possible in what you like. That is the key to being happy. . . . Then you've solved half the problem, but,* she adds, *"only half!"*

# Charlotte Keen
geophysicist

---

*I've always loved sailing, so I thought why not have a
science career that gets me out on boats in the fresh air?*

---

She clambered up the rigging, the mast careening from side to
side as the ship pitched in the ocean waves. Charlotte Keen
had reason to doubt whether a career in science was really for
her. She and other students had just been put on board a research
vessel. No one had thought to prepare the captain for the fact
that one of the students would be a young woman, and no one
had thought to prepare Charlotte for the fact that the captain
did not think much of women oceanographers. He yelled at her
as she took mud samples round the clock from the ocean floor,
shouting commands as she ran the winch in the middle of the
night. And on this day, he goaded her into climbing to the crow's
nest to untangle some equipment caught in the rigging. "I was
absolutely terrified, but I wasn't going to let him get the better of me!"

Not all Charlotte's training was dramatic or perilous. She
was born in Halifax, Nova Scotia, but her childhood was one
of frequent moves because her dad was in the Navy. As a young
girl, she wasn't particularly interested in math and science. She
preferred the arts and humanities. It wasn't until she reached
Dalhousie University in Halifax in the early 1960s that she was
bitten by the science bug. "I ran into some very good teachers,
and I found I was really excited about physics." She was able
to catch up on the math and science she'd missed in high school
and decided on a career in science. Charlotte graduated with
first class honours in physics in 1964, the first woman to obtain

an honours physics degree from Dalhousie since the 1930s.

At about the time Charlotte graduated, the Bedford Institute of Oceanography, near Halifax, was opening its doors. The timing was to be fortunate. Charlotte's choice of career was also driven by values that were outside academe. "I've always prefered to be outdoors, rather than inside in a lab. I've always loved sailing, so I thought why not have a science career that gets me out on boats in the fresh air?" She pursued studies in geophysics at Cambridge University in England, where she was one of only two women in the program, and she successfully completed her doctorate in 1970. Returning to Nova Scotia that same year, she joined the Bedford Institute as a research scientist.

Charlotte became the first woman scientist in Canada to go out regularly on ships. At first new rules were invented to "protect" young women on ships. They were to be allowed on overnight voyages only if a qualified medical doctor was on board. No one was ever quite sure of the logic of the rule and Charlotte recalls humorously that it was generally ignored. Yet life at sea wasn't easy. In those days you didn't see women with responsibilites on service ships. There were no women officers in the Navy or Coast Guard, nor were there women research scientists. Now the situation is quite different.

Her strong physics background had prepared Charlotte well for geophysics. "Geophysics is like a cross between geology and physics. If anything, the physics would be harder to learn later. I found it pretty easy to learn the geology, but I was glad I'd already learned my physics." Early in her research career she identified the scientific puzzles that would fascinate and challenge her: what processes are responsible for the creation of continental margins, the oceanic crust, and the ocean's sedimentary basins? Her career has been a lifelong detective story, searching for clues from the ocean. "That's what I love about it," Charlotte says. "The questions may stay the same, but there are always new technologies and new tools to be mastered. You keep the brain in shape. You're learning all the time."

Charlotte has spent her entire scientific career at the Bedford Institute, in the Atlantic Geoscience Centre of the Geological Survey of Canada. Her research has uncovered new evidence of the origin of the ocean's floor and the continental margins. Her work has been recognized internationally and she has received numerous academic honours, including election in 1980 to the Royal Society of Canada. Charlotte still enjoys the outdoors, sailing, skiing, swimming, and running. Recently she built her own cottage in the woods near one of her favourite places for canoeing. And she hasn't abandoned her early love of the arts. She is learning piano, while taking classes in jazz and tap-dancing.

Charlotte's studies have taken her for cruises in the Red Sea and along the Grand Banks off Newfoundland. Her scientific research has been published in journals around the world. Reflecting on her career, Charlotte says she has only recently realized that she is a feminist. "When I was younger, I just wanted to be an oceanographer because I liked it. I think I was just too busy to notice that I was a feminist."

*Her advice to young women is to take a smattering of every-thing. Enjoy life and do what interests you.*

# Judith Sayers

lawyer

Photo: Beatrice Weyrich, Switzerland

*Women have a lot stronger drive and determination than men do. I really believe that women will take the lead in social causes and movements for social change.*

When Judith Sayers was growing up in Port Alberni, British Columbia, it was her grandmother who encouraged her to think about higher education. Judith is a member of the Nuu-Chah-Nulth Nation, part of a West Coast native culture that is centuries old. Her grandmother was descended from hereditary chiefs — royalty among her people. She spoke no English, but told young Judith that it was important to learn how to function and succeed in a non-Indian society. She died when Judith was twelve years old, but her influence stayed strong in Judith's life. By the time her grandmother died, Judith had decided that she wanted to be a lawyer.

One of five children, Judith became involved in the Mormon church. With missionary zeal, the Mormons had established themselves in Port Alberni. They were especially active on the Indian reserves, offering special educational programs and the opportunity of exchanges with Brigham Young University in Provo, Utah. When she was eighteen years old, Judith left home to attend Brigham Young on a scholarship from the Mormon Church. She did well, majoring in business administration. For a brief period she wavered in her determination to be a lawyer, thinking she might consider a master's degree in business administration. But, by the time she graduated in 1977 with her BSc in business administration, she had made up her mind to return to her native British Columbia, where she could be closer to her family, and indeed become a lawyer. As a student at the University of British Columbia law school, she was part of a major increase in the numbers of women in law schools across Canada. Today women constitute half of most law classes, but when Judith was a student women were only one-third. She was visible in another way as well. There were only two or three other indigenous students, male or female. She was recognized for leadership when she was elected valedictorian for indigenous students at the University of British Columbia. She graduated in 1981 with her LLB and planned to pursue a master's degree in native law that fall. But over the summer something happened which would change her life. An Indian lawyer from Edmonton, Alberta, called and offered her a summer job working for the Indian Association of Alberta.

In 1981-82 Canada was revising its constitution, and the plan was to entrench a Charter of Rights and Freedoms in a patriated British North America Act. Native rights, however, were being left out of the process and indigenous groups across Canada were organizing to force Ottawa and London to recognize their traditional rights. Judith found herself in the thick of a very important battle. She worked to prepare research and legal arguments for the "London Lobby" of native leaders making representations to the Queen, as well as for the court case launched in the Court of Appeal of Great Britain to protect obligations to Canada's First Nations. The First Nations argued that the Queen had an obligation under treaty, as the custodian of Canada's constitution, to ensure that the British North America Act was returned to Canada only after native concerns had been met. "It was just so exciting," she remembers, "that when it came time for me to leave and go back to school, I just couldn't. I stayed and worked with the Indian Association of Alberta, right through the whole constitutional lobby."

The efforts of the London Lobby were at least partially successful. A section was added to the Charter which guaranteed that existing rights of aboriginal people in Canada would not be adversely affected by the Charter. But, as Judith's career demonstrates, achieving the full involvement of native people in the constitutional process is an on-going battle.

Following this constitutional work, Judith articled with a Hobbema law firm specializing in indigenous rights. Staying in Alberta, she has alternated between private practice and working as staff counsel for local Indian bands. In the process, she has also become a scholar and an expert on international human rights. She has travelled frequently to Geneva to attend the United Nations' Commission on Human Rights, presenting submissions from the Four Nations of Hobbema. She has also attended meetings of the International Labour Organization as well as those of the Sub-Commission on the Protection of Minorities and Prevention of Discrimination. Since 1983 she has spent part of every year in Geneva preparing for meetings of the Working Group on Indigenous Peoples. Some years, she has made two or three trips. Despite all the international travel, she has managed well as a single mother with a toddler daughter. Recently she has had a second child. "Last year when I went to Geneva, I brought my mother and my daughter along. They had a great time." Judith is sure her mother never imagined so much globe-trotting for her daughter.

Judith's research work was recently given a major boost. Once a year the Social Sciences and Humanities Research Council of Canada chooses an outstanding scholar to receive the Bora Laskin Fellowship in Human Rights Research. The fellowship, which encourages multidisciplinary scholarship, is worth approximately $55,000 to the recipient. Judith Sayers was awarded the fellowship in December, 1989. The award gives her an entire year without financial pressures in which to complete her study of "Human Rights of Indigenous People in Canada".

In accepting the award, Judith explained, "The human rights of indigenous peoples in Canada are far below those of other people in Canada in all areas, from living conditions, to control over their own lives. Our rights are being denied on a regular basis and great efforts must be made to acknowledge our human rights and bring them up to standard." When asked what she would like to say to young women, she commented, "Women have a lot stronger drive and determination than men do. I really believe that women will take the lead in social causes and movements for social change. We are more dedicated to the causes we're working on."

Her advice: *"Pursue your dreams. Believe in yourself and you can be or do whatever you want."*

Photo: Bill Dunn

# Julia Levy
biochemist

---

*I'd liked organic chemistry, but with biochemistry, you could grow things overnight. I love cultivating living things. At heart, I'm a gardener!*

---

When Julia Levy talks about her childhood, you can almost see it unfolding as a sweeping Hollywood historical production. She has lived through some remarkably dramatic times.

Her father was a Dutch banker, working in the Dutch colony of Indonesia, when he met her British mother. They married two years later in Burma, and her father was stationed at various places in Southeast Asia. Julia was born in Singapore in 1934. When she was only five years old, the Second World War broke out in Europe. The family was then living in Indonesia and her father knew it would not be long before hostilities reached that nation of islands. He could not send his wife and their children to Holland or England, where their families were, since those areas were clearly to be battlegrounds. But he had an elderly uncle who had settled in Canada, and so Julia and her older sister travelled with their mother by ocean liner from hot steamy Indonesia to a country they thought would be frosty and cold. "I can still remember arriving in Vancouver," Julia says. "Mother had managed to find blue serge and made us little wool suits for Canada. We arrived on a hot August day and nearly died walking for miles with our uncle to our new place."

Her mother supported her daughters all through the war. She had a university degree and some training as a physiotherapist. She had hidden her dowry money in her belt so that when they arrived in Canada they had a cushion against total poverty. She soon had found work in Vancouver at the Workers' Compensation Board. A local boarding school accepted the girls at a subsidized tuition, although neither Julia nor her sister ever knew that they had been taken in on a different basis from the other girls. They did not see their father again until the hostilities were over. He had been captured and was held for years in a prisoner of war camp in Indonesia.

The experience of her early years had a lasting impact on Julia. "I just always knew that you cannot rely on someone else. You have to be able to support yourself. If you can't, the world can suddenly change and you can be left without anything." The boarding school stressed the classics and literature, and her science education was neglected, even in high school. "What attracted me to medicine," Julia recalls, "was that I loved animals. Medical things interested me, and I wondered about being a veterinarian or a doctor."

She went to the University of British Columbia thinking of a career in medicine, but became fascinated by biochemistry "the study of the chemistry of living things. "I'd liked organic chemistry (studying the chemistry of carbon and related substances), but with biochemistry, you could grow things overnight. I love cultivating living things. At heart, I'm a gardener!" By her third or fourth year in university, she knew that undergraduate work would not be enough, and that she had to go on. "I always knew I had to be the mistress of my own destiny," she explained.

She got married right after university. Her husband wanted to study in England, so she accompanied him, hoping she could find work at the National Institute for Medical Research. When she had her job interview she was encouraged to get her doctorate in London. She became involved in medical research, particularly in the study of the immune system, a field called "immunology". "That's where I really learned to *do* science." She was trained in a more traditional European or British approach to science. "It was a less competitive, less aggressive style than that of the United States. I myself am competitive, very competitive, really; but I compete with *myself*." Julia received her PhD in biochemistry from the University of London in 1958.

Julia then returned to Canada and joined the faculty of the University of British Columbia, teaching microbiology. She also embarked on an ambitious research career. She was divorced and for seven years managed her teaching and research career as well as being a single mother with two children. "I had to be very well organized, but I always knew I could do it," she remembers. She arranged her life in order to make all her roles mesh as well as possible. "I lived near where I worked. And had a live-in person to help with the children, so they had the security of being looked after at home. And I *always* got home early enough to spend time with them before bed."

Julia's medical research began to show real promise for developing a new approach in cancer treatment. She concentrated on the immune system and on the study of tumours. Her work eventually combined immunology and what is called Photodynamic Therapy (the use of light sensitive drugs in cancer therapy). It has been internationally recognized and she has received numerous honours, including election to the Royal Society of Canada in 1980. In 1987, Prime Minister Brian Mulroney appointed her to the National Advisory Board of Science and Technology.

In the 1970s Julia had remarried and had a third child. Her second husband studied the philosophy of science. In 1981 Julia and four colleagues launched their own pharmaceutical research company, Quadra Logic Technologies Inc. Julia's work for the company has focused on the use of light to trigger certain responses in various illnesses. The treatment is based on using drugs that are activated by light and that accumulate selectively in cancerous tissue. Treatment involves giving a cancer patient the photosensitive drug, following which a low-power laser light can be placed inside the patient at the end of a fibre optic probe directed to the cancerous growth. The drug becomes operative when it is triggered by the laser. Thus the therapeutic value of the drug can be channelled directly to the affected tissue, healthy tissue being left alone. Photodynamic Therapy may also have application for other diseases, including arteriosclerosis, psoriasis, and sexually transmitted diseases.

"It's very exciting to see laboratory research go through the process of becoming commercially available," Julia says. Her title, "Vice-President — Discovery", says a lot about her participation in the company. The firm has enjoyed significant success and has attracted the attention of pharmaceutical companies in the United States. "Once our major corporate partners get over the shock that a Canadian company is capable of this research," Julia explains with a laugh, "they're really amazed to see so many women in middle and upper management." The high proportion of women in the firm was not the result of any deliberate policy. Quadra Logic just hires the best people, some of whom have worked with Julia at the University of British Columbia as research assistants.

Julia Levy keeps one foot in both worlds — business and university. She loves both, and continues a vigorous teaching and research career at the university.

Her advice: *"Go for it! And don't let the bastards get you down. Women can do anything!"*

# Lorna Marsden
sociologist/Senator

*As a graduate student, I was living in a fantasy world. It was a revelation to discover what women were still facing.*

In the late 1950s it seemed clear what career options were available to young women: nursing or teaching. Lorna Marsden was talked out of her early desire to become an occupational therapist and decided to go into teaching. Her small home town in British Columbia seemed a confining place in those years, but it was not the norm for girls to think of going off to university. Lorna's father was a scientist; her mother was a homemaker. Society's messages, although subtle, were that she should choose to follow the well-trodden path of her mother rather than walk in her father's footsteps. The family was not wealthy and that also limited her choices about the future. So Lorna entered Victoria College (now the University of Victoria) to become a teacher, but by that time she had decided to see as much of the world as possible.

Through zoology courses, she developed a great enthusiasm for genetics. "It was all so exciting!" she recalls. "So much was being discovered in genetics at the time, and I was totally fascinated by the patterns and complexities. I really loved science. It was like playing at puzzles." She did well in zoology, but then she married and for six years was off the university track, working in various jobs to support her husband while he attended graduate school. After years away from university, she enrolled at the University of Toronto, still interested in genetics. But her male genetics professor discouraged her from this career. "He told me women end up as lab assistants," she remembers with disappointment. She had been studying sociology as well, so she shifted her focus to the social sciences and found there a field both enjoyable and creative.

Lorna received scholarships to support her graduate studies from several universities, but went to Princeton University in the United States because they have an excellent department and because "they offered the largest scholarship". She headed off with the full support of her husband. It was the late 1960s, and the feminist movement was just beginning. But Lorna, for all her independence, did not feel personally involved with what was then called "women's lib". It wasn't until one of her professors forced her to undertake a study of what had happened to women professors in universities that she realized the obstacles that faced women and became a committed feminist. "As a graduate student, I was living in a fantasy world. It was a revelation to discover what women were still facing." Writing that paper on women university professors changed her thinking. She started making the connections between society's treatment of women and the potential routes for change and found herself drawn toward politics.

Lorna completed her PhD in sociology at Princeton University in 1972 and returned to teach and continue her research in the Department of Sociology at the University of Toronto. Through women colleagues she was invited to the founding meetings of the Ontario Committee on the Status of Women, and the founding conference of the National Action Committee on the Status of Women. Her feminist connections led her into working to support a woman candidate for parliament. Lorna helped Aideen Nicholson who, on her second attempt, won a seat as a Liberal member of the House of Commons in 1974. But her political interest had more to do with achieving change for women than it had to do with any partisan fervour. While she developed her scholarly career as a professor at the University of Toronto, she became increasingly involved in the federal Liberal party " first as a member of its Women's Commission, then as its National Vice-President, and finally as National Policy Chair. Maintaining a vigorous research and publishing record, Lorna studied the issues of population dynamics, women and the labour force, and the impact of policy issues on women's economic lives. Her focus has always been these changes in Canadian society and her major book is on social change in Canada, *The Fragile Federation*, which examines

Canada's role as a peripheral society in a global system. Her newest book, written in collaboration with two colleagues, is *Lives of Their Own*, a study of changes faced by Canadian women. She achieved a strong reputation as an academic and as a scholar, and served in many administrative positions in her university. Meanwhile, her political life became even more absorbing. In 1984 she was appointed to the Senate of Canada. In this capacity she participates actively in several Senate committees and chairs the Senate Standing Committee on Social Affairs, Science and Technology. Lorna still manages to teach part-time at the University of Toronto, to write scholarly articles, and to be a Senior Fellow at Massey College. The two worlds in which she lives are not entirely separate. Often an issue raised in a Senate committee prompts her research, and in the university sometimes it is an issue raised in the academic context that leads her to consider policy solutions.

Sitting in her office in the East Block on Parliament Hill, Lorna reflects, "If I had to choose between the Senate and the university, I'd choose the university." But much as she loves the university world, she still finds it difficult to cope with its male-dominated culture. "I could never be totally bound up in it."

Her marriage has survived her double life as senator and professor. Lorna and her husband made a conscious decision not to have children. "In those days," she says, "you just never saw married women with children who were succeeding in the academic world. The message was 'You can't have it all.' But that has really changed." Another thing that has really changed is the pressure on women not to go into science. "I sometimes think that my next career will be as a scientist," she says smiling. And judging by her energy and enthusiasm, anything is possible!

Her advice to young women can be found in the conviction with which she has lived her life: *"Don't compromise on the important things. Work to advance the causes you believe in."*

# Madeleine Blanchet
epidemiologist

*It will always be a battle to do both, to have a family and a career. But it is possible.*

"My mother was a feminist before her time," says Madeleine, recalling her mother's determination that each of her eight children should attend university. Even though her mother as a young woman was bright, creative, and energetic, it was only the boys in her own family who had gone to university. Madeleine's father was a doctor who did double-duty teaching medicine at Laval University. Both parents encouraged their children to pursue their studies and to follow any career path that interested them, without regard to stereotyped male-female roles.

In high school Madeleine hated math. "I loved the theatre and thought I would go on the stage, in the professional theatre." The future president of Quebec's Council on Social Affairs worked in the summers of her high school years as an actress.

But when she began university in the late 1940s, she found herself attracted to her father's profession. She completed her undergraduate degree in arts in 1952 and then went on to study medicine at Laval. Part of the attraction to medical school was the knowledge that she would be a pioneer. Out of 125 students, Madeleine was one of five women. She remembers, "I knew that if I went into science I'd be one of the first women in Quebec to do so and that challenge appealed to my ego." She became interested in public health and, once she had successfully completed medical school, she sought a degree in public health from the University of Montreal.

Madeleine always knew that she wanted it all — a career, marriage, and a family. And she chose her specialization with that goal in mind. A career as a practising physician would not allow enough time, or predictability, for raising a family. A research field would provide greater flexibility. A new area of scholarship was emerging as Madeleine completed her degree in public health in 1961 and, once again, her desire to break new ground led her into a pioneering field.

The new field was epidemiology — the study of human populations to establish connections between different diseases and possible factors causing them, such as environment, infectious agents or genetic inheritance. She headed off to Harvard University in Cambridge, Mass., in pursuit of a master's degree in science. Epidemiology attracted doctors, but also statisticians, for the work involved mathematical concepts and applications. Madeleine now had to tackle her least favourite topic, math, at the graduate level at one of the world's most renowned and demanding universities. She was afraid that she would never make it. But, starting almost from scratch, she conquered her math and succeeded in gaining her Master of Science degree in 1967 from Harvard's School of Public Health.

She was always ahead of her time — in her academic life and in her personal life. Not only did she seek a career in what was a non-traditional field for women, she did what many women today do: she postponed having her family until her career was established. A first marriage right after university ended in divorce, but in 1967, after completing her final degree, she married again. Today she stresses the importance of finding the right partner. "I couldn't have achieved what I've achieved without my husband's collaboration and support." They have two children. When the children were young she managed both to pursue her research interests and to teach public health at Laval's medical school. She advises young women, "Make your goals transparent to a future partner. Tell him **where** you want to go, and **when**. "It will always be a battle to do both, to have a family and a career. But it *is* possible."

Madeleine's career has brought her international recognition. She has served on government commissions and advisory boards, and has achieved her greatest personal satisfaction in seeing her work change government policy. Her research on old age and nutrition, coupled with her skills of persuasion, led the government of Quebec to institute its first policy on gerontology and nutrition. It had taken a long process of epidemiological studies to demonstrate that one portion of our population, the elderly, was facing serious nutritional problems. Once the data had been assembled, Madeleine, in her capacity as president of the Quebec Council on Social Affairs since 1980, brought the information to government attention and demanded a program to improve nutrition for the elderly.

Madeleine continues her work as actively as ever. In 1989 she was elected to The Royal Society of Canada. Her enthusiasm and energy leave her admirers breathless. She acknowledges that, although the career path she followed would be much easier for a young woman today, there are still challenges. She champions rights for women in the Quebec Council on Social Affairs. Maternity leave for a secretary is as important to her as equal opportunity for a medical researcher.

To the next generation, Madeleine says resolutely, *"I believe very much in solidarity among women."*

# Sylvia Olga Fedoruk

biophysicist/Lieutenant-Governor
of Saskatchewan

*With technological advances girls are going to need more science and math than ever before.*

Sylvia Fedoruk considers herself lucky that she began her education in a one-room prairie schoolhouse where her father was the teacher. For nine years she was able to pursue her interests with a freedom not commonly found in modern schools. Still, in the 1930s, no one expected girls to take anything but what were considered "women-type jobs" — they might be clerks or stenographers, for instance. In the ninth grade Sylvia had to choose between typing and French. To prepare for some sort of secretarial position, she chose typing.

When the Second World War started, the family left Saskatchewan and moved to Windsor, Ontario. In her junior high school Sylvia was placed in the lowest grade because of her lack of French, so she chose to take Grade 9 and Grade 10 French at the same time in order to catch up to her classmates. Back in the advanced level, she discovered that she loved math and physics. It was one of her English teachers who noticed her real gift for science. She steered Sylvia towards a young physics teacher in Windsor who encouraged her to consider chemistry or physics.

After high school Sylvia returned to Saskatchewan to attend the University of Saskatchewan. Here a young physics professor suggested she pursue a degree in medical physics. It was a practical suggestion. Although women physicists were virtually unknown, women were a common sight in the hospital setting. Using physics training in the cause of healing would open many doors. People quickly recognized Sylvia as a young woman who liked a challenge. She also gained a reputation as an athlete, excelling in curling and playing basketball, volleyball, as well as track and field. Her love of the outdoors led her to Saskatchewan's wild north country for camping trips and fly-fishing.

Her classmates were mostly young men who were veterans of the Second World War. They were perhaps more serious and mature than many college boys today, and Sylvia never encountered any hostility from them as she plowed her way into a traditional male field. She did well and headed for her Master's degree in medical physics at the University of Saskatchewan, which she earned in 1951. She decided that her specialty area would be a new field called "nuclear medicine" the treatment of cancer patients with radiation. For thirty-five years she was the chief medical physicist at the Saskatoon Cancer Clinic as well as serving as director of physics services for the Saskatchewan Cancer Foundation. During this time she also taught oncology, the study of cancer and its causes, as well as physics, at the University of Saskatchewan.

Her research included working with the team that developed one of the world's first Cobalt 60 units, for cancer treatment, and one of the first nuclear medicine scanning machines. She remembers with real pride a letter of congratulation after the story of her research success appeared in *Maclean's* magazine. "My early English teacher, Ruth McLaren, the one who'd encouraged me to think of physics as a career, wrote to say how proud she was of her former student."

Sylvia was a member for fifteen years of the Atomic Energy Control Board of Canada, as well as serving as an advisor to the International Atomic Energy Agency in Vienna. Her expertise in radiation physics and the application of nuclear technology to medicine was useful in the Agency's formulation of recommended doses of radiation and controls on exposure. Even with all her scientific and therapeutic research, she still found time for athletics. She continued her curling, and in 1986 she was inducted into the Canadian Curling Hall of Fame in the same year she was voted the Y.W.C.A. Woman of the Year. Her active and successful life has not included marriage or a family. "It wasn't for me," she says without a trace of regret. In 1988 she was honoured with a DSc degree by the University of Windsor, and in 1990 she received a second honorary degree from the University of Western Ontario.

After Sylvia had retired from full-time teaching at the university, when you might think her career was winding down, what she regards as the least likely thing in the world happened to her. In 1988 she was appointed Lieutenant-Governor of the Province of Saskatchewan. "I would never have imagined it was possible!" she says with a laugh. "I remember so clearly in 1939 standing at the side of a railway crossing in Melville. I was twelve years old and I was hoping to catch a glimpse of King George VI and Queen Elizabeth on their Royal Tour of Canada. And now, I'm the representative of Her Majesty in Saskatchewan!"

Early in her tenure as lieutenant-governor she decided to stress the importance of childhood education. She travels the province speaking to school children, urging them to pursue their studies and to believe in themselves.

Sylvia is concerned that girls and young women drop their science and math without realizing that they will need those subjects to be able to enter many fields. "With technological advances," she observes, "girls are going to need more science and math than ever before. Computer courses start earlier in school and one hopes this will smooth the way for girls in math and science."

Her advice to young women planning their careers: *"set personal goals. Dream of doing better than you ever thought you could. If you dream of accomplishing the impossible, you can!"*

# Thérèse Gouin-Décarie
psychologist

*When you love something, it's important to do it, and you'll find your niche. That's the way to be happy.*

For Thérèse Gouin-Décarie a university education was not there for the taking. She had to want it badly enough to go out and find her own teachers. Thérèse's family was a prominent one in Montreal. Her father was a lawyer who also taught law at the University of Montreal. Her mother was a writer whose plays were performed in Paris. Home life was political and stimulating. But her school experience at the convent did little to encourage her to think of a career. It was the norm in the early 1940s for the mother superior of the Sacred Heart Convent to explain to the proper Catholic school girls of Montreal, "Higher education is not for young ladies."

Thérèse, nevertheless, always knew she wanted more. It was one particular teacher of philosophy at the convent who inspired her and some of her friends to pursue their dreams. A priest, teaching moral education and philosophy, he told the girls that they should seek ways of using their intelligence more fully than the traditional system would allow.

Les Dames de Sacré-Coeur did not offer an examination that would qualify their students to enter university. If Thérèse was to pursue higher education she would have to obtain a baccalaureate diploma (the equivalent of graduation from high school) on her own. Fresh out of the convent, Thérèse and four of her friends climbed the big wooden stairs to the doors of the University of Montreal. They were in pursuit of teachers who would be prepared to teach them individually as private students. Thérèse found professors in mathematics and chemistry. The girls paid fees for personal tutorials, and, by taking the university examinations, they did obtain entrance to the University of Montreal. "Today," Thérèse smiles, "those teachers are my colleagues!" She took her bachelor's degree in psychology in 1945. "I was fascinated by psychological processes, by mental health issues, and by people in conflict. It was such a new field then that no one even knew if there would ever be jobs for us, or what kind of work we would do," Thérèse recalls.

The program in psychology at McGill University was well known, but Thérèse took another gamble in heading for the newly opened Institute at the University of Montreal, where greater emphasis was placed on working directly with people in need of psychological counselling. "Yes," she admitted recently, "it was a risk. But when you love something, it's important to do it, and you'll find your niche. That's the way to be happy."

Being happy was part of her life's goal, and she always planned to be married and have children. Her choice of a life-partner was a wise one. In 1948 she married the man to whom she is still married. Her husband encouraged her desire to excel academically and professionally. He had needed to break a few barriers of his own as the first professor of philosophy in Quebec who was not a priest.

Thérèse's decision to "have it all" inevitably meant that she had to make some difficult choices. She decided that it was more important to her to have her children than to finish her doctorate in record time. She had four children and managed to complete her doctorate in 1960, just as her fourth child started school. Her thesis dealt with a subject that would dominate her career. She published it as a book, *L'intelligence et l'affectivité chez le jeune enfant* (later published in English as *Intelligence and Affectivity in Early Childhood*.) The great Swiss theorist Jean Piaget wrote the preface. Her work has focused on the development of intelligence and affectivity (emotion) ever since. In the early 1960s, she studied the intellectual potential of thalidomide victims. Over the years she has been a professor at the University of Montreal. As well as conducting research and publishing her results and observations, she has lectured extensively on infancy. Her reputation has extended outside the world inhabited by her colleagues in psychology. In 1970 she became the first francophone woman appointed to serve on the National Research Council of Canada. She has been made a member of the Order of Canada, as well as of The Royal Society of Canada. She admits that she is surprised by each new honour and accolade.

Her advice: *"Keep a great appetite for life. If you want to do everything — have a partner, a career and children — there will be some things you will not be able to do. But do the important things. You can have it all,"* she adds laughing, *"even though it means you have to be something of an acrobat!"*

# Ann Saddlemyer
literary historian

Photo: Graduate Centre for the Study of Drama, University of Toronto

*Suddenly, I was a scholar! It just snowballed. In all these years, I've never had to look for a publisher or wonder what my next project will be.*

When Ann Saddlemyer was growing up in Prince Albert, Saskatchewan, she had no idea she'd ever do advanced work at university, much less that she would become a literary scholar of international repute or the first woman to be Master of Massey College in the University of Toronto.

Her father was a lawyer who had learned the law through the old apprenticeship system, coming out from Ontario to join his commanding officer from the First World War in a law practice. Her mother was a nurse, one of the first members of her family to leave the farm. Both parents thought it was important for their children to taste a little of everything life had to offer, and that included university. Ann studied music and ballet as well as her regular school subjects. In her teens she played the piano in a dance band era, and she considered music a fine career. But she was also active in athletics and in college was the captain of her fencing team.

When she entered the University of Saskatchewan, she had not made up her mind what she really wanted to do with her life. She graduated with a general BA in English and psychology in 1953. She was still interested in music, and she had worked at the mental hospital in Weyburn, Sasketchewan, to experience the clinical side of mental health. But she decided against a career in psychology. It was clear to those around her, however, that she was a natural-born leader. She upgraded her

English major to Honours English, and, still unsure of her direction, she headed for graduate work in English. Queen's University in Kingston had offered her a scholarship, and that helped determine her course.

Her attraction to several careers at once led her to feel an affinity with an Irish playwright she studied, J.M. Synge. He had started out as a professional musician before switching to the theatre and writing *The Playboy of the Western World*. Ann had stumbled into the area of study that would be a large part of her life's work, the Irish theatre. In this world Shaw, Yeats and Synge lived and breathed theatre and poetry. The Irish little theatre, especially the Abbey Theatre in Dublin, was a model for little theatre around the world. But, unlike some other areas of literature where little remained to uncover, Synge's work had not been fully examined. Reading Synge, Ann could sense the musician's touch. Her high school days as the church organist floated magically from the pages of the works of the "Irish renaissance". She wrote her Master's thesis on Synge.

Ann's scholarship at Queen's required her to teach at the undergraduate level. It was then that she made another important discovery. "I found that I *loved* teaching." Teaching and writing, however, were not sufficient to absorb her considerable energies, so she and a friend started the now-famous Queen's Choir. She also kept up her fencing and, combining her love of theatre with her athletic prowess, she found time to direct the fencing scenes from *Hamlet*.

The teaching position she desired required a PhD. With her sense of direction now firmly established, she applied for the I.O.D.E. War Memorial Scholarship for overseas study. If she was to pursue her passion for Irish theatre, study in England and Ireland was a must. In 1957, with a strong record from Queen's, she was off for three years to the University of London.

Ann had carried with her to London a letter of introduction from the Dean of Women at Queen's to a friend at the law college in Trinity College, Dublin. She remembers with some embarrassment how long it took her to present herself to the Dean's old friend. But when she did, the direction of her scholarly work was to be firmly set.

The Dean's friend introduced Ann to a friend of hers, who just happened to be the literary executor of the Synge estate. The two women became great friends and Ann was allowed to see Synge's personal, unpublished papers — a literary historian's equivalent of winning the lottery. Ann's new friend suggested there was someone else she would like her to meet. Ann could hardly believe it when she received a phone call from Mrs.Yeats, the widow of one of the key figures in the Irish theatre movement, William Butler Yeats. Thus it was that, through friends of friends, Ann became acquainted with Georgie Hyde Lees Yeats, a woman who had been at the centre of Dublin's literary scene. "Suddenly," Ann remembers, "I was a scholar!" From then on there was no looking back. "One thing led to another. A friend in Ireland asked me to have a look at Lady Gregory's papers." Lady Gregory had been a director of the Abbey Theatre. "It just snowballed," she adds with some amazement. "In all these years, I've never had to look for a publisher or wonder what my next project will be."

Ann Saddlemyer has combined this exciting research career with the teaching she enjoys. She first taught in the University of Victoria, B.C., in the winters, travelling to Ireland in the summers for further research, and continued the pattern at the University of Toronto after 1971. She has received numerous honours in Canada and Great Britain, including election to the Royal Society of Canada in 1976. She has also been a member at Toronto of the Graduate Centre for the Study of Drama and has been its director. In recent years she has developed a new research and teaching interest in Canadian theatre history, a field that has grown rapidly across Canada. Ann was instrumental in the founding of the Association for Canadian Theatre History in 1976, and its journal *Theatre History in Canada*. At last Canadians are discovering an important part of their cultural history and it turns out to be exhilarating.

Of her personal life, Ann exclaims that she has an enormous circle of wonderful friends, in many places in the world. She believes strongly that life extends well beyond the university. She admits that at times, especially in her undergraduate experience, male teachers discouraged her, some out of concern for the girl they saw before them. "They were afraid I'd be devoured," she explains. She wasn't. Now she is the first woman Master of Massey College, with both men and women graduate students as residents.

Her advice: *"Don't ever let anyone tell you that you cannot go through a particular door. Always be prepared to go through any door that leads to your goal."*

## Geraldine Kenney-Wallace
chemist/physicist

---

*Remember that growing up is a life-long process. I'm still considering what I want to do when I grow up. So a career choice is not what you'll do for your whole life. It launches you into your life!*

---

When she was thirteen years old, not long after the Second World War had ended, the future chairman of the Science Council of Canada sat with three other girls in the front row of their physics class. It was a 500-year-old British grammar school for boys which had recently admitted girls. The physics master looked out over the heads of the only girls in the class, and, addressing the boys, said, "I look across the barren waste to the fruitful fields to get my answer." Geraldine thought she knew the answers. And somehow she managed to maintain a love of science in spite of the negative experience with certain teachers. She fixed her attention on role models — women like Madame Marie Curie, a pioneering woman scientist who discovered radium, or Amelia Earhart, a flyer who personified the spirit of adventure. Geraldine, too, would be driven by intellectual curiosity and the excitement of new adventure.

Born in London, she grew up in England and Europe in a family that did a great deal of travelling. By the time she reached 14, she had attended nine schools and had learned much outside school through her direct exposure to the aftermath of war in Europe. She always felt that she was part of a larger international community. As a military strategist, her father was active on all fronts in Europe, the Middle East and the Far East in the

42

years Geraldine and her younger sister and brother grew up with their mother, a fine arts graduate and teacher. Throughout a seemingly endless series of moves, the Kenney clan was to retain a closeness separation could not break. "Part of one's personal blueprint for survival is to have a sense of place, of belonging, of roots," Geraldine reflects. "Moreover, if you feel you belong nowhere, you must come to realize you can belong everywhere." It is this attitude that has proved to be valuable in coping with the ups and downs and the upheavals of a travelling scientific career.

Geraldine's father, a historian and economist, was a strong believer in the importance of a good science education for all his children. Geraldine was always a good student and excelled in math and science. She wanted to be an artist or a writer, and composed plays for her friends to perform in the orchard during their summer holidays. She hadn't seriously considered science as a career until she had completed two years of science in high school. "It was when Sputnik was launched into space by the Russians in 1957 that I became electrified by the idea of science," she remembers. "I decided then that I wanted to be an astronomer and explore outer space. Or an archaeologist and uncover the mysteries of antiquity. Both fields were about finding out what's *there*!" Whatever her choice of subject would be, Geraldine knew she wanted to be a "Scientist" and that she wanted to discover things by being a "Researcher". Fortunately the labs at the convent school where she boarded were very good and she and four or five other girl friends enjoyed the freedom of working away in the labs on their own. They loved coming in on weekends to check on their amateur experiments. "I was hooked!" she remembers. Geraldine organized a high school science club, taking groups of other students off to see local factories, to watch the scientific processes involved in manufacturing. She kept a well-rounded approach to life, from fine arts to fencing and field hockey although she was disappointed that the javelin and discus she'd learned to use at the boy's school were not allowed at the convent.

In 1961 she was a summer student at the world-famous Clarendon Physics Laboratories. She enjoyed the comaraderie of scientific research. "Many people don't realize that science is a people business. A research team is almost like a family. Members of the team may even sleep near their work bench, running 24-hour experiments. You live, sleep and breathe ideas together. It's very rewarding and you make wonderful friends."

Geraldine won a scholarship for university from the United Kingdom Atomic Energy Authority at Hartwell. She studied physics, chemistry and mathematics at the Oxford College of Advanced Technology and took lectures at Oxford University. All this time she was adding research to her studies, in the area of cloud physics, for instance, or in experiments with wind tunnels or observations concerning patterns of radioactive fallout. The pressing need for scientists, engineers, and technologists in the post-war world encouraged many innovations combing graduate degrees with practical research experience. Such a need is felt strongly in the Canada of the 1990s. There is now a great array of university programs that allow for internships, for a combination of work and study, for continuing education for undergraduates or graduates. Scholarly excellence can be won in many ways by women, and the flexibility is a real advantage.

She, herself, has had to be flexible. The long illness and unexpected early death of her mother from cancer meant she had responsibilities at home, and so studying for an external degree was her solution. At the same time she was the personal research assistant of a distinguished Oxford professor who was working in the area of biophysics. She took her degree from the Royal Institute of Chemistry.

Geraldine's love of travel led her to leave Great Britain for her graduate work. It was Canada's great good luck that this country appealed to her. She completed her master's and took her doctorate at the University of British Columbia. A chemist and a physicist, she applied her knowledge to the early study of lasers. After completing her doctorate she married. She and her husband share research interests. Although they have no children, Geraldine firmly believes that a scientist *can* manage both a career and a family.

She was appointed to Yale University in 1972, and in 1974 she joined the University of Toronto's chemistry department to set up the first ultrafast laser laboratory in a Canadian university. Her research dealt with the dynamics of molecules in picoseconds, a trillionth of a second, and now she focuses on femtoseconds or $10^{-15}$ seconds! She became a member of the physics department in 1980. She has been a visiting professor at the École polytechnique in Paris and at Stanford University. At Toronto she became concerned about the funding and promotion of scientific research. She began working in the university community and outside it to raise awareness of the obstacles facing scientific research. Her commitment to science eventually led to her being appointed the chair of the Science Council of Canada. Her success has brought her ten honorary degrees and election to The Royal Society of Canada. It also brought her appointment in 1990 as president of McMaster University in Hamilton. Her belief in the importance of the university is strong, and she welcomes her new opportunity on a campus with an important record in research.

Geraldine's career has complemented her love of travel, and of meeting people. Colleagues come from all over the world. At the request of the prime ministers of Canada and Japan for advice on future collaboration and research opportunities, she has been involved in studying the scientific research approach of Japan, and has travelled extensively in Asia. Geraldine has also been concerned with the global environmental threat, working as a member of the National Roundtable on the Environment and the Economy reporting directly to the prime minister. This national body, as well as several provincial "Round Tables", were set up in response to the report of the World Commission on Environment and Development. Their goal is to assist governments integrate environmental concerns into every aspect of decision-making that may have technological, economic or social consequences.

Geraldine Kenny-Wallace's advice on choosing a career? *"Get out the atlas and have a good look at the world. Realize that this is your global village where you will find your future; where you'll find your joy and ideas.* And on the subject of a career in science? *Whatever career you choose, you'll have to know enough science to make wise choices as a citizen, especially with concerns such as the environment. Don't be afraid of science and technology. They are powerful agents for economic, social and cultural change. And careers in science for the 1990s are so exciting, I want to be a student again! Whether in space science or genetics, in engineering physics or biotechnology, in aquaculture and ocean sciences, in lasers and artificial intelligence — there are so many voyages of discovery to be made and rewards for hard work to be won. Education is intellectual travel — go out with confidence and explore the world with your mind and your own eyes."*

# SE BÂTIR UN AVENIR

La vie fascinante de douze
canadiennes érudites

Préparé par Elizabeth May à l'intention du
Comité pour la promotion de la femme de la
Société royale du Canada

Conseillère à la rédaction :
Francess G. Halpenny, F.R.S.C.

Pembroke Publishers Limited

Pembroke Publishers
538 Hood Road
Markham, Ontario L3R 3K9

**Données de catalogage avant publication (Canada)**

Vedette principale au titre :

Se bâtir un avenir.

Préparé par Elizabeth May.
Texte en français et en anglais.
Titre de la p. de t. addit., tête-bêche : Claiming the Future.
ISBN 0-921217-71-4

1. Savantes – Canada. 2. Femmes – Enseignement
supérieur – Canada. I. May, Elizabeth. II. Société
royale du Canada. Comité pour la promotion de la
femme. III. Titre : Claiming the Future.

HQ1397.C53 1991    305.43'0901    C91-095044-XF

Le Comité des femmes et le savoir et la Société royale du Canada remercient les douze chercheuses qui ont aimablement accepté de se prêter aux entrevues. Pour obtenir des renseignements complémentaires, prière de s'adresser à :

La Société royale du Canada
207, rue Queen, 3e étage
C.P. 9734
Ottawa (Ontario)
K1G 5J4
Téléphone : (613) 992-3468
Télécopieur : (613) 992-5021

Le premier objectif de la Société royale du Canada est d'encourager les études et la recherche dans les arts, les lettres et les sciences. En sa qualité d'Académie nationale du Canada, elle fait appel aux connaissances multiples et à la compétence de ses membres œuvrant dans toutes les disciplines afin de reconnaître et honorer les grandes réalisations; de renseigner le public en vue d'améliorer sa connaissance et sa comprehension des questions d'ordre éducatif, scientifique, technique et culturel; d'encourager la circulation libre des idées à l'échelle internationale en organisant des visites et des échanges de chercheurs au niveau international, et en invitant les pays participants à se joindre aux programmes scientifiques et culturels.

Imprimé et relié au Canada
9 8 7 6 5 4 3 2

# Table des matières

# Introduction

Le livre que voici vise à encourager les jeunes femmes à s'orienter en plus grand nombre vers les études supérieures et à se tailler une place dans les domaines du haut savoir. Vous y trouverez l'histoire de douze chercheuses qui ont fait carrière dans des disciplines diverses, au Canada et dans le monde.

Le savoir, la recherche : qu'entendons-nous par ces mots? Songez à la curiosité qu'inspirent les grandes questions sur la vie, les oeuvres de création, le fonctionnement des organismes humains ou animaux, les végétaux, les minéraux et les eaux du globe, ou encore l'univers du soleil, de la lune, des étoiles et des planètes. Cette curiosité est ce qui anime les chercheuses et les chercheurs, les savantes et les savants. Mais ce n'est pas tout. Ces personnes suivent une démarche raisonnée, méthodique. Que ce soit en bibliothèque, en laboratoire ou sur le terrain (où elles peuvent faire des choses aussi différentes que mettre au jour les vestiges de civilisations anciennes ou étudier le Bouclier canadien), elles enrichissent leurs connaissances et approfondissent leur compréhension des choses par des observations minutieuses et systématiques. Bon nombre d'entre elles enseignent à l'université ou au collège. Au niveau collégial ou au premier cycle universitaire, elles transmettent leur savoir aux étudiantes et aux étudiants; aux niveaux plus avancés, elles les aident à acquérir de bonnes méthodes de recherche. Parfois, elles sont attachées à un musée, à une bibliothèque, ou encore à un laboratoire gouvernemental, à un laboratoire médical ou à un laboratoire de recherche industrielle. Toutes partagent leurs découvertes, que ce soit en enseignant, en publiant des livres ou des articles, en prononçant des conférences devant leurs collègues ou le grand public, ou encore en intervenant dans les médias. Mais, quelle que soit leur activité, leur souci premier est toujours l'avancement de la connaissance.

En général, pour être admis dans les milieux savants, il faut avoir rédigé un mémoire de maîtrise ou une thèse de doctorat, ou encore avoir fait des travaux de niveau avancé dans un établissement de recherche. À présent, il y a beaucoup de femmes qui étudient au collège ou au premier cycle de l'université. Elles sont nombreuses aussi aux deuxième et troisième cycles, dans

la plupart des programmes. Cependant, leur nombre est encore trop restreint aux paliers supérieurs de l'enseignement universitaire et de la recherche, surtout en sciences.

Il est inacceptable que les milieux savants, les milieux de recherche comptent aussi peu de femmes. Cela va à l'encontre de la Charte canadienne des droits et libertés, qui interdit la discrimination fondée sur le sexe. Cela est injuste compte tenu des aptitudes que les femmes ont démontrées et démontrent encore durant toutes leurs études, et compte tenu du nombre de femmes qui sont diplômées. En outre, cela est dommage, parce qu'ainsi, les domaines dans lesquels elles pourraient décider de faire carrière sont privés de l'apport dont elles pourraient les enrichir en tant que femmes. Pourquoi nous trouvons-nous dans cette triste situation? Trop souvent, dans le passé, on a détourné les femmes d'une carrière de chercheuse, ou bien on les a poussées à se spécialiser dans un domaine autre que celui qu'elles préféraient, en leur disant ou en leur faisant sentir que leur place était ailleurs. De nos jours, cependant, elles sont de plus en plus nombreuses à refuser d'être exclues. Elles surmontent les obstacles et montrent qu'une chercheuse, une savante, une érudite peut réussir à la fois sa vie professionnelle et sa vie personnelle. L'exemple des douze femmes que nous vous présentons le prouve hors de tout doute.

La Société royale du Canada commandite le présent livre par l'entremise de son Comité pour la promotion de la femme. Ce comité, créé en 1989, vise plusieurs objectifs. Le premier est d'encourager un plus grand nombre d'entre elles à envisager, dès leurs études secondaires, une carrière de savante ou de chercheuse, et particulièrement de leur faire voir que le monde des sciences peut leur appartenir autant que le monde des lettres, des langues, de l'histoire ou de la sociologie. Le second est de favoriser la participation féminine aux études avancées en récompensant tous les ans une diplômée de grand mérite et en envoyant chaque année plusieurs chercheuses réputées donner des conférences dans les campus à travers le pays. Le troisième but est d'aider la Société royale à élire davantage de femmes parmi ses membres. Fondée en 1882, la Société royale a toujours eu pour mission de réunir des personnes qui se signalaient par leur apport aux arts et aux sciences. Or elle reconnaît que sa liste de 1 300 membres ne reflète pas encore équitablement l'apport des Canadiennes.

Le comité espère que l'histoire de ces douze femmes plaira

aux élèves ainsi qu'aux enseignantes, enseignants, conseillères et conseillers en orientation de leurs écoles. Les femmes décrites dans ce livre ont choisi de faire de la recherche, et elles s'y sont consacrées en dépit des nombreuses barrières qu'elles rencontraient sur leur chemin. Leur carrière les a amenées à se dépasser, et leur vie privée a été enrichissante. Elles sont convaincues que, avec de la volonté et du coeur, les femmes peuvent atteindre leurs buts. Toutes vous disent : «Rêvez et faites des projets. Ne vous laissez pas abattre. Tenez bon et travaillez. Cela en vaut la peine! Quand on se consacre à la recherche, on ne cesse jamais de connaître l'émotion de la découverte, le plaisir de participer à la quête du savoir. La vie de chercheuse est vraiment passionnante.» La quête du savoir n'a jamais, jamais de fin. Maintenant que les femmes sont de plus en plus nombreuses à y prendre part, les obstacles s'aplanissent. La situation change. Allez de l'avant à la conquête de votre propre avenir!

*Francess G. Halpenny, F.R.S.C.*

# Monique Frize
Ingénieur en génie
électrique

---

*Les filles vont en chimie, lui disait-on. Les filles ne deviennent pas ingénieurs.*

---

«J'ai toujours aimé les mathématiques», dit Monique Frize avec un sourire en se rappelant l'enthousiasme avec lequel, adolescente, elle dévorait les problèmes d'algèbre et de géométrie. Au couvent d'Ottawa où elle faisait ses études secondaires, les religieuses avaient du mal à satisfaire son avidité.

De qui lui est venu son amour pour les mathématiques et les sciences? Elle l'ignore. Ses parents étaient écrivains; son père gagnait sa vie comme bibliothécaire. Parmi les sept enfants de la famille, elle était la seule à se passionner pour autre chose que la littérature et les arts. Étant l'aînée, elle avait l'esprit d'initiative. Et, dès l'école secondaire, elle savait que son domaine, c'était les sciences.

Ses parents comme ses institutrices et instituteurs l'encourageaient dans cette voie. Dès la fin de sa deuxième année à l'Université d'Ottawa, elle était décidée à faire carrière en génie. C'est alors qu'elle s'est butée à un premier obstacle. Ses résultats en sciences étaient bons, mais les conseillers de la faculté de génie ont tout fait pour la décourager. Au début des années 1960, il n'y avait pas beaucoup de filles dans les programmes de sciences, et on avait une vision stéréotypée de la place qu'elles pouvaient occuper dans le monde scientifique. «Les filles vont en chimie, lui disait-on. Les filles *ne* deviennent *pas* ingénieurs.»

Encore aujourd'hui, Monique Frize éprouve de l'amertume quand elle songe au temps qu'elle a perdu en commençant sa spécialisation en chimie. Un beau jour, elle en a eu assez de

se laisser mener par le bout du nez : «Je veux être ingénieur, un point c'est tout!» Pour y arriver, il fallait qu'elle refasse sa troisième année de baccalauréat. Dans l'espoir de rattraper le temps perdu, elle s'est inscrite à un programme accéléré à l'Université Carleton. Elle a pris une fois et demie plus de cours que ses condisciples; elle apprenait le génie électrique et le génie de première année en même temps. À l'école de génie, il n'y avait pas d'autre étudiante qu'elle, et il n'y avait pas de femmes dans le corps professoral. Elle devait supporter le machisme qui caractérisait alors les écoles de génie — les beuveries, les blagues sexistes. Mais elle tenait le coup, encouragée par son fiancé, un jeune homme qui travaillait dur, lui aussi, pour maîtriser le génie électrique. Elle n'a pas réussi tous ses cours, mais elle a reconnu que ce n'était pas faute d'aptitude; elle en avait tout simplement pris plus que personne n'aurait osé le faire. Elle a encaissé son revers et est retournée poursuivre ses études à l'Université d'Ottawa.

À la veille du trimestre, elle a épousé celui qu'elle aimait et qui la soutenait si bien. Cinquante et un jours après le mariage, il est mort dans un accident de voiture. Plus que jamais, elle était seule dans une faculté sans femmes, dans une classe sans femmes — dans un contexte où, évidemment, l'attention se concentrait sur elle. Même si elle était très atteinte par la mort de son mari, elle a persévéré. Ses notes n'étaient pas aussi bonnes qu'elle l'aurait souhaité, mais elle a réussi tous ses cours. L'année suivante, elle a fait mieux, et dans sa dernière année, elle a obtenu de très bonnes notes. Encouragée par ses résultats, elle a posé sa candidature à l'Athlone Fellowship pour aller faire deux ans d'études de deuxième cycle en Grande-Bretagne. Cette bourse prestigieuse est destinée aux diplômés canadiens de premier cycle en génie, et Monique Frize a été, en 1967, la première femme à l'obtenir. En 1970, elle a obtenu, à l'Imperial College de Londres, une maîtrise en génie électrique, avec spécialisation en génie médical.

Monique Frize n'a jamais regretté son choix. Sa vie professionnelle démontre que le génie est au service des gens. Elle a été conseillère en génie électrique auprès de plusieurs hôpitaux du sud du Nouveau-Brunswick. Dans cette province bilingue, ses antécédents francophones étaient un atout. «Être ingénieur clinique, aider les médecins et les infirmières à se servir de l'équipement, c'était extraordinaire. Et puis, dans les hôpitaux, on avait déjà l'habitude de voir des femmes. Je faisais

un diagnostic de la machine pour qu'elle ne fournisse pas de données erronées.»

Monique Frize s'est fait connaître dans le monde entier grâce à ses recherches sur les brûlures électriques, et en 1979, elle a été invitée à faire partie d'un groupe international de travail en génie clinique. En 1985, elle a été élue à la présidence du conseil de la première division internationale de génie clinique. L'année suivante, elle a obtenu une maîtrise en administration à l'Université de Moncton, et en 1989, elle a terminé son doctorat à l'Université Erasmus, aux Pays-Bas.

À présent, Monique Frize est bien décidée à encourager les jeunes femmes qui entreprennent leurs études universitaires, tout comme celles qui sont au collège ou à l'école secondaire. «Visez haut en mathématiques et en sciences, insiste-t-elle. Si vous êtes faibles, prenez des cours de rattrapage.»

En 1989, Monique Frize a été nommée à un poste nouveau et tout à fait unique : une chaire universitaire destinée aux femmes en génie et dotée conjointement par l'Université du Nouveau-Brunswick, le Conseil de recherches en sciences naturelles et en génie du Canada et la Northern Telecom.

Son travail consiste en grande partie à montrer par l'exemple, aux femmes de tout le pays, que le génie peut être pour elles. «Les ingénieurs ne sont pas nécessairement des gens qui travaillent les deux pieds dans la boue, avec un casque sur la tête», dit-elle pour détruire les préjugés qui entourent la profession qu'elle aime tant. «Le génie est vraiment un domaine où l'aspect humain compte beaucoup, où on a à résoudre des problèmes et à prendre des décisions.»

Monique Frize s'est remariée en 1968. Son mari a un travail très différent du sien. Il s'est installé avec elle à Frédéricton, où elle occupe la chaire destinée aux femmes en génie. Ils ont un fils adolescent qui veut être musicien.

Pourtant, Monique Frize s'inquiète de l'avenir de sa profession. Le Canada ne produit pas assez d'ingénieurs pour satisfaire la demande. Au Japon, 630 personnes sur 100 000 deviennent ingénieurs; au Canada, 210 seulement. «Nous manquons déjà d'ingénieurs cliniques, souligne-t-elle, et en l'an 2000, nous aurons une pénurie dans tous les secteurs du génie. Les femmes et les filles représentent le potentiel dont nous avons besoin. Il faut aller les chercher.» Monique Frize défend sa cause avec beaucoup d'ardeur. Elle en parle à la télévision, à la radio, dans la presse. En février 1990, le gouvernement fédéral a lancé

une étude de 18 mois sur les moyens d'attirer et de garder les femmes en génie. Quatre organismes nationaux y participeront. Et devinez qui la dirige? Monique Frize!

«*Soyez fidèles à l'idée que vous avez de vous-mêmes. Poursuivez votre but avec acharnement. Ayez confiance en vous!*», voilà le message qu'elle adresse aux étudiantes.

## Sylvia Edlund
Botaniste

*Ce qui est important dans les sciences c'est de savoir réfléchir, observer. Les connaissances scolaires sont essentielles, mais ce qu'il faut surtout, c'est savoir réfléchir.*

«Pourquoi avez-vous choisi la recherche scientifique?» Sylvia Edlund, de la Commission géologique du Canada, répond à cette question d'une façon un peu abrupte : «Je n'avais pas envie de taper à la machine pour quelqu'un d'autre, ni d'être serveuse.» Si elle a opté pour les sciences, c'est parce qu'elle trouve cela amusant.

Elle qui a grandi à la campagne, dans le Midwest américain et en Ontario, devait être naturaliste dès sa naissance. «J'étais le genre d'enfant qui s'arrête en chemin pour caresser la moindre chenille», dit-elle. Dans sa famille, on mettait l'accent sur les mathématiques et la physique, mais personne n'arrivait à lui faire aimer ces matières. C'étaient les choses vivantes, le monde de la nature, qui l'attiraient. Malheureusement, quand elle était jeune, deux obstacles assez sérieux l'empêchaient d'exceller dans quoi que ce soit. D'abord, sa santé. Adolescente, elle souffrait d'une maladie chronique qui l'obligeait à rester alitée durant de longues heures. Ensuite, son école. C'était une école démodée, où la formation était médiocre dans tous les domaines. Sylvia Edlund se rappelle en riant que les cours de biologie étaient donnés par l'instituteur d'éducation physique, qui ne s'intéressait pas du tout à la biologie. «Nous avons passé bien des cours à compter les uniformes et les souliers de gymnastique», dit-elle. Mais finalement, le premier obstacle s'est révélé un atout. En effet, c'est son médecin qui l'a poussée à

faire des études supérieures, en lui faisant voir qu'elle avait les talents nécessaires. Il l'a aidée à se faire admettre dans une bonne université, la Case Western Reserve University de Cleveland, en Ohio, et lui a bien fait comprendre qu'elle devait faire en sorte de devenir une adulte autonome.

Peut-être à cause de la gentillesse de son médecin et de sa propre expérience de la maladie (elle avait encore besoin de béquilles à l'époque), Sylvia a choisi de faire une concentration en biologie, dans l'espoir d'entrer en médecine. Malgré la médiocrité de la préparation qu'elle avait reçue au niveau secondaire, elle n'avait pas de difficultés dans ses cours de sciences. Elle conservait une bonne moyenne de C, et elle réussissait bien en biologie et en techniques de laboratoire. Jusqu'à la fin de sa quatrième année de collège, elle a continué à vouloir faire sa médecine, mais la tension des années préparatoires exigées pour cette spécialisation aggravait sa maladie. De plus en plus, elle comprenait qu'elle n'arriverait pas à s'entendre avec les médecins, et son stress venait en grande partie de là. «Je sentais, dit-elle, que certains d'entre eux n'éprouvaient plus de compassion devant la souffrance.» Mais, dans le courant de ses études, elle avait trouvé le domaine qui lui convenait : l'histoire naturelle. Elle s'est inscrite à un cours; malheureusement, il n'y avait pas d'autres étudiants. Au lieu d'annuler le cours, le professeur lui a donné des leçons particulières. En plus, dans le cadre de ce cours, et d'autres qu'elle suivait avec lui, il organisait des excursions en forêt, sur les dunes ou au bord des cours d'eau et des lacs. Ces excursions avaient lieu en hiver comme au printemps, beau temps mauvais temps, et Sylvia y allait avec ses béquilles. Elle adorait explorer, et l'exercice la fortifiait. À la fin de son deuxième cours d'histoire naturelle, elle marchait sans aide; jamais les médecins n'en avaient espéré autant.

En quittant la Case Western Reserve University, Sylvia Edlund est allée faire son doctorat en botanique à l'Université de Chicago. Il y avait encore, à cet endroit, une école où l'on enseignait l'écologie de façon traditionnelle, et elle a été parmi les derniers étudiants à la fréquenter. Encore une fois, la formation axée sur les travaux pratiques lui a été très profitable. «Ce qui est important dans les sciences, souligne-t-elle, c'est de savoir réfléchir, observer. Les connaissances scolaires sont essentielles, mais ce qu'il faut surtout, c'est savoir réfléchir.» Elle a choisi son champ de recherche en tenant compte des con-

traintes que sa maladie risquait de lui imposer : «Je me disais qu'il ne fallait pas que je choisisse un domaine dont l'étude exigerait beaucoup de mobilité.» Elle a donc opté pour l'écologie végétale. Elle voulait répondre à des questions comme : «Pourquoi telle plante fleurit-elle à tel moment plutôt qu'à tel autre? Est-ce que son temps de floraison varie d'un endroit à un autre? Quel effet la lumière du jour a-t-elle sur la floraison?»

Pour répondre à ces questions, Sylvia Edlund a choisi d'étudier la corydale rose (*Corydalis semperviveris*). Cette plante pousse dans plusieurs endroits de l'Amérique du Nord; on la trouve assez facilement, et personne ne l'avait encore étudiée. C'était, dit-elle, «une plante bien disposée à collaborer». Elle pousse vite et produit beaucoup de graines, ce qui facilite les expériences de laboratoire. Dès qu'elle a commencé à tester les facteurs qui influent sur la floraison, Sylvia a obtenu des résultats concluants. Elle a établi que le facteur déterminant était la durée du jour : la floraison coïncidait remarquablement bien avec les longues journées de l'année. Ses expériences dans la nature et en laboratoire lui plaisaient beaucoup, et en plus, elles ne faisaient de mal ni aux plantes, ni aux êtres humains. Cela demeure important pour elle : «J'ai toujours voulu, dit-elle, faire un travail qui ne nuit pas à l'environnement ni aux gens.»

Après avoir obtenu son doctorat, en 1970, Sylvia Edlund a eu du mal à trouver un emploi en botanique. Finalement, elle a déniché une place de copiste et de naturaliste à temps partiel dans un arboretum. «Cela m'était utile, dit-elle en riant, d'avoir appris à taper à la machine à l'école secondaire!» Puis, peu de temps après, elle a été engagée comme chercheuse dans une équipe internationale à laquelle les Nations Unies avaient confié le mandat d'inventorier la flore et la faune du Grand Nord. Sylvia Edlund a eu le coup de foudre pour les animaux de cette région, pour ses plantes, pour tout ce coin du monde. Elle fait des recherches dans l'Arctique depuis 20 ans. Sa santé est bonne, et elle n'a plus aucune difficulté à marcher.

En 1974, elle est devenue chercheuse scientifique à la Commission géologique du Canada, organisme fédéral dont le siège est à Ottawa. Ses recherches la conduisent surtout dans l'Arctique, où elle campe tous les étés avec d'autres scientifiques. Par exemple, elle dresse des cartes régionales où l'on peut voir le rapport qui existe entre les communautés de plantes et la géologie de surface. Ces cartes ont permis de comparer l'in-

fluence relative des facteurs géologiques et des facteurs climatiques sur la répartition des plantes. À partir de là, on a pu délimiter à nouveau, en détail, les zones de la végétation arctique. Les observations de Sylvia Edlund ont du poids, même quand elles portent sur autre chose que la botanique. Au cours d'un récent séjour dans le Grand Nord, elle a remarqué que, tout à coup, il se produisait un nombre impressionnant de glissements de terrain dans une vallée de la lointaine île Ellesmere. Les scientifiques croyaient que les glissements de terrain avaient lieu seulement à la suite de fortes pluies. Or l'été avait été plutôt chaud et sec. Grâce aux travaux de Sylvia Edlund, on a compris l'importance d'une autre source d'humidité, située dans le sol même. À l'intérieur du pergélisol, il y a des masses de glace qui fondent. C'est ce qui provoque les glissements. Mais en même temps, dans cette région qui, à cause de son climat, devrait être désertique, cette source d'humidité favorise la présence d'une végétation plus riche et plus dense. Tout un nouveau champ d'études s'est ouvert dans l'île Ellesmere, un champ particulièrement important étant donné les inquiétudes que suscite le réchauffement de la planète.

Sylvia Edlund ne fait pas seulement de la recherche scientifique dans le Nord. Enfant, elle adorait dessiner, et un ami de ses parents lui a enseigné à bien «regarder». Elle n'a jamais cessé de faire des esquisses et des toiles, et maintenant, elle complète ses observations de l'Arctique en peignant. Ses tableaux de fleurs sauvages ont été reproduits dans un livre publié à Yellowknife par le ministère des Affaires indiennes et du Nord à l'intention des écoles des Territoires du Nord-Ouest. «Certains artistes voient la flore, la faune, le paysage de l'Arctique en tons pastels, note-t-elle. Moi, je les vois en couleurs frappantes, vives. Rose, violet, jaune éclatants.» Dans ses moments de détente, elle s'adonne au dessin humoristique en prenant pour sujets ses collègues et les événements qui marquent leurs camps d'été.

Pour Sylvia Edlund, la science est une gigantesque intrigue policière. «*On trouve un morceau ici, un autre là, et on essaie de les réunir. Si vous aimez les casse-tête et les jeux, et si vous êtes curieuses, les sciences vous plairont.*»

# Fernande Saint-Martin
Professeure d'histoire de l'art

---

*Fernande ne voulait pas se contenter de suivre la voie qu'empruntaient alors la plupart des filles qui faisaient des études. «Dans ce temps-là les filles allaient au couvent et les garçons au collège.»*

---

Quand on interroge Fernande Saint-Martin sur sa carrière, il faut préciser de *laquelle* de ses carrières on veut parler. Cette femme qui respire la joie de vivre en a eu trois, et elle les a toutes réussies.

Fernande Saint-Martin a grandi dans le Québec des années 1940, un monde aussi différent du Québec des années 1990 que si un siècle, et non quelques décennies, les séparait. Loin de se signaler, comme aujourd'hui, par la vigueur de sa culture et l'animation de sa scène politique, le Québec était alors, rappelle-t-elle, une société rigide, doctrinaire, où l'on brimait la liberté artistique et décourageait les expériences politiques. Le grand-père de Fernande Saint-Martin, Albert Saint-Martin, a été le premier leader socialiste du Québec. Il a été arrêté et emprisonné pour avoir organisé des groupes d'aide aux chômeurs et des groupes de protection des consommateurs. Son père était plus discret, moins porté à l'action politique, mais il se vouait lui aussi au bien collectif. Médecin, il n'est jamais devenu riche parce que, travaillant pour la fonction publique, il visitait les coins reculés de la province et pratiquait la méde-cine préventive. La mère de Fernande, qui élevait une famille de six enfants à Montréal, avait bien du mal à joindre les deux bouts.

L'apparition d'un nouveau mouvement artistique au Québec

en 1948 a bouleversé l'existence de Fernande Saint-Martin. Cette année-là, sur l'initiative de Paul-Émile Borduas et Jean-Paul Riopelle, a paru Refus global, manifeste qui stigmatisait l'intolérance politique de l'époque. Ensuite, on a vu apparaître l'art du mouvement automatiste, qui était vraiment un produit de la société québécoise. «J'étais tellement emballée, tellement fière, dit-elle, que nous ayons enfin un produit culturel original. Cela m'a donné une confiance que je n'avais jamais éprouvée auparavant.»

Fernande ne voulait pas se contenter de suivre la voie qu'empruntaient alors la plupart des filles qui faisaient des études. «Dans ce temps-là, explique-t-elle, les filles allaient au couvent et les garçons au collège.» Elle s'est inscrite à l'Institut d'études médiévales de l'Université de Montréal. Là, comme elle l'avait soupçonné, l'enseignement n'était pas aussi superficiel qu'au couvent. Après avoir terminé le programme d'études médiévales, elle est restée à l'Université de Montréal, où elle a obtenu, en 1948, un baccalauréat ès arts et un baccalauréat en philosophie. Puis son séjour dans cette institution a été interrompu brusquement. On lui a dit que l'Université de Montréal ne l'accepterait jamais au deuxième cycle à cause de la réputation politique de son grand-père.

Têtue, Fernande a décidé de s'armer pour fuir le Québec de la fin des années 1940. Elle s'est inscrite à l'Université McGill dans l'espoir d'aller enseigner au département de français d'une université américaine. En 1951, elle a obtenu un autre baccalauréat ès arts, en littérature française, et en 1952, elle a quitté McGill avec une maîtrise en études françaises. Elle n'avait jamais eu de bourse, et à l'époque, le gouvernement n'offrait pas de programmes d'aide aux étudiants des universités. À l'âge de 21 ans, elle avait quitté sa famille pour habiter seule. Dans ses dernières années d'université, elle avait travaillé à temps partiel pour des journaux de jeunes et des journaux syndicaux. Son salaire était maigre, mais elle vivait simplement, et puis elle apprenait sur le tas le métier de journaliste.

En 1953, Fernande Saint-Martin a rassemblé ses économies des trois dernières années et s'est embarquée sur un cargo à destination de Rio de Janeiro. Elle a passé un an au Brésil à enseigner le français. Mais, comme l'intolérance religieuse régnait aussi là-bas, elle a fini par se dire que, quitte à affronter des problèmes de ce genre, elle ferait mieux de les affronter dans son propre milieu.

De retour au Québec, elle n'a pas trouvé de travail, malgré tous ses diplômes et son expérience. Elle a été standardiste pendant six mois, puis un jour, elle a vu que *La Presse* cherchait un traducteur. C'est par ce détour qu'elle est parvenue à son premier poste important de journaliste. La première de ses carrières a alors commencé pour de bon. Elle est devenue directrice des pages féminines de *La Presse* et l'est restée durant six ans. C'est à cette époque qu'elle a rencontré son futur mari, jeune artiste d'avant-garde nommé Guido Molinari. Ensemble, ils ont ouvert et animé la première galerie d'art abstrait au Canada, L'Actuelle. Quand elle a décidé de se marier et d'avoir des enfants, elle s'est trouvée en conflit avec les règles que *La Presse* imposait à son personnel féminin: a) une employée qui se mariait était congédiée; b) la place d'une mère était à la maison, pas au travail. Comme Fernande Saint-Martin était devenue trop indispensable au journal pour qu'on la congédie, la direction a fermé les yeux, mais ces règles ont continué de s'appliquer aux autres employées.

En 1958, Fernande Saint-Martin a présenté le fruit de ses recherches dans un premier livre, *La littérature et le non-verbal*, qui exposait des théories sur l'art verbal et l'art visuel. Elle et son mari ont eu deux enfants. Heureusement, il travaillait à la maison, dans son atelier, alors il pouvait s'occuper des enfants. En 1960, son emploi du temps lui a permis de lancer au Québec l'édition française de la revue *Châtelaine*. Rédactrice en chef du magazine durant douze ans, elle a participé à l'éclosion et à l'essor du féminisme. C'était l'époque de la Révolution tranquille. Pendant ces années, Fernande Saint-Martin a aussi terminé un doctorat en études françaises à l'Université de Montréal.

En 1972, elle a entamé, avec éclat, sa deuxième carrière, à titre de directrice du Musée d'art contemporain de Montréal. Bien connue comme critique d'art de revues canadiennes et internationales, elle avait déjà publié un livre important sur les *Structures de l'espace pictural*. Quant au musée, il a vite doublé son public grâce à un audacieux programme d'expositions auquel s'ajoutaient toujours des catalogues, des films, des débats et des conférences. Cependant, Fernande Saint-Martin sentait qu'il fallait multiplier les recherches sur l'art contemporain pour aider le grand public à vraiment comprendre et goûter les oeuvres. Aussi a-t-elle décidé de se consacrer à l'enseignement et à la recherche, d'abord à l'Université Laval,

puis à l'Université du Québec à Montréal. Professeure d'histoire de l'art à l'UQAM, elle a été l'une des pionnières de la sémiotique visuelle (nouvelle discipline qui étudie le langage visuel) et a acquis dans ce domaine une réputation internationale. Contrairement à la plupart des gens, qui, lorsqu'ils regardent une toile, se contentent de la trouver belle, Fernande Saint-Martin, elle, l'analyse d'un oeil attentif. Que *dit* ce tableau? *De quelle manière* communique-t-il avec nos sens non verbaux? Comment la vision s'organise-t-elle? Voilà un nouveau type de recherche qui allie art et science et qui intéresse non seulement les artistes, mais aussi les informaticiens. C'est l'une des raisons pour lesquelles, en novembre 1989, le Conseil des arts a décerné à Fernande Saint-Martin le généreux prix Molson des sciences humaines. La même année, elle est devenue membre de l'Ordre du Canada.

Fernande Saint-Martin conseille aux jeunes femmes de faire ce qui les intéresse et de ne pas écouter ceux qui leur disent d'être «pratiques». «*Dans ma jeunesse, signale-t-elle, on me disait qu'il n'y aurait pas de travail en arts ni en littérature. Maintenant, j'ai l'embarras du choix. Personne ne connaît l'avenir. Alors, consacrez-vous à ce que vous aimez, allez-y aussi à fond que possible. C'est ainsi que vous serez heureuses. Si vous faites cela, vous aurez résolu la moitié du problème...* — mais, ajoute-t-elle, *seulement la moitié!*»

# Charlotte Keen
Géophysicienne

*J'ai toujours aimé la voile, alors je me suis dit : pourquoi ne pas choisir une carrière scientifique qui me permettra de naviguer et de respirer le vent du large?*

Elle escaladait le gréement. Le navire bondissait sur les vagues, le mât oscillait de bâbord à tribord. À présent que Charlotte Keen était suspendue entre ciel et mer, elle se demandait si elle était vraiment faite pour une carrière scientifique. Elle venait à peine de s'embarquer sur un bateau de recherche avec d'autres étudiants. Personne n'avait songé à prévenir le capitaine que parmi ce groupe, il y aurait une jeune femme, et personne n'avait songé à la prévenir, elle, que le capitaine ne tenait pas les femmes océanographes en très haute estime. Au beau milieu de la nuit, tandis qu'elle maniait le treuil pour prélever des échantillons de boue au fond de l'océan, il n'avait pas cessé de lui hurler des ordres. Et ce jour-là, il l'avait défiée de grimper jusqu'au nid de pie pour dégager une pièce d'équipement qui était coincée là-haut. «J'étais absolument terrifiée, dit-elle, mais il n'était pas question que je le laisse l'emporter sur moi!»

Charlotte Keen n'a tout de même pas acquis toute sa formation dans des conditions aussi dramatiques. Née à Halifax, en Nouvelle-Écosse, elle a déménagé à plusieurs reprises dans son enfance parce que son père était dans la marine. Quand elle était adolescente, les mathématiques et les sciences ne l'intéressaient pas particulièrement. Elle préférait les arts, les lettres, les sciences humaines. Ce n'est qu'une fois parvenue à l'Université Dalhousie de Halifax, au début des années 1960, que les sciences ont commencé à la fasciner : «J'ai eu quelques très bons

professeurs, et j'ai découvert que la physique me passionnait.» Elle a pu faire les mathématiques et les sciences qu'elle n'avait pas étudiées à l'école secondaire et a opté pour une carrière scientifique. Depuis les années 1930, aucune femme n'avait obtenu de spécialisation en physique à l'Université Dalhousie, mais elle a décroché un diplôme de ce genre en 1964, avec la mention très bien.

À peu près au même moment, l'Institut océanographique de Bedford, près de Halifax, a ouvert ses portes. Cela tombait bien. Sa profession, Charlotte l'a choisie aussi pour des raisons qui n'avaient rien à voir avec les études. «J'ai toujours préféré être au grand air plutôt que dans un laboratoire. J'ai toujours aimé la voile, alors je me suis dit : pourquoi ne pas choisir une carrière scientifique qui me permettra de naviguer et de respirer le vent du large?» Elle a étudié la géophysique à l'Université de Cambridge, en Angleterre; à part elle, il y avait seulement une autre femme inscrite à ce programme. En 1970, elle a terminé son doctorat. De retour en Nouvelle-écosse la même année, elle est entrée à l'Institut de Bedford comme chercheuse scientifique.

Charlotte Keen a été la première femme de science au Canada à naviguer régulièrement. Au début, on a inventé des règles pour «protéger» les jeunes femmes qui montaient sur les bâteaux. Lorsque le voyage supposait une nuit à bord, elles pouvaient s'embarquer seulement s'il y avait un médecin qualifié. Personne n'a jamais vraiment saisi la logique de cette règle, et Charlotte Keen signale en riant qu'on ne l'appliquait jamais. Pourtant, la vie en mer n'était pas facile. À l'époque, les femmes n'exerçaient pas de hautes fonctions sur les navires. Il n'y avait pas de femmes officiers dans la marine et dans la Garde côtière, ni de femmes qui faisaient de la recherche scientifique. Les choses ont bien changé depuis.

Grâce à sa solide formation en physique, Charlotte Keen était bien préparée à faire de la géophysique. «La géophysique, explique-t-elle, est un croisement de géologie et de physique. En fait, j'aurais eu plus de difficulté si j'avais eu à étudier la physique en deuxième lieu. J'ai trouvé la géologie assez facile, mais j'étais contente de connaître déjà la physique.» Dès les premiers temps de sa carrière de chercheuse, elle a cerné les énigmes qui n'allaient pas cesser de la fasciner, de l'intriguer : comment se forment les marges continentales, la croûte océanique, les bassins sédimentaires de l'océan? Charlotte Keen est

une sorte de détective : elle cherche constamment des indices dans l'océan. «C'est ce que j'adore dans mon travail, dit-elle. Les questions peuvent ne pas changer, mais il y a toujours de nouvelles technologies et de nouveaux outils à maîtriser. Cela tient l'esprit en éveil. On apprend sans arrêt.»

Charlotte Keen a toujours travaillé pour l'Institut de Bedford, au Centre géoscientifique de l'Atlantique, qui relève de la Commission géologique du Canada. Elle a fait des découvertes sur l'origine du fond de l'océan et des marges continentales. Ses travaux ont été reconnus dans le monde entier, et elle a reçu de nombreuses distinctions académiques : en 1980 par exemple, elle a été élue à la Société royale du Canada. Toujours amatrice de plein air, elle fait de la voile, du ski, de la natation, de la course. Récemment, elle s'est construit un chalet en forêt, près de l'un des endroits où elle aime le plus faire du canot. Les arts l'intéressent toujours: elle apprend le piano et suit des cours de jazz et de danse à claquettes.

Ses recherches l'ont amenée à naviguer sur la mer Rouge et le long du Grand Banc de Terre-Neuve. Ses travaux ont été publiés dans des revues du monde entier. En faisant le bilan de sa carrière, Charlotte Keen dit qu'elle n'a compris que récemment qu'elle est féministe. «Quand j'étais plus jeune, tout ce que je voulais, c'était être océanographe, faire le métier que j'aimais. J'étais trop occupée, je pense, pour me rendre compte que j'étais féministe.»

*Elle conseille aux jeunes femmes d'étudier un peu de tout, de profiter de la vie et de faire ce qui les intéresse.*

Photo: Beatrice Weynch, Suisse

# Judith Sayers
Avocate

*Les femmes ont beaucoup plus de volonté et de détermina-tion que les hommes. Je suis convaincue que ce sont elles qui vont être à l'avant-garde de la défense des causes sociales et des mouvements de changement social.*

Judith Sayers a grandi à Port Alberni, en Colombie-Britannique, et c'est sa grand-mère qui l'a encouragée à envisager des études supérieures. Judith appartient à la nation Nuu-Chah-Nulth, qui fait partie d'une culture autochtone de la côte ouest dont l'apparition remonte à des siècles. Sa grand-mère descendait d'une lignée de chefs — la royauté de son peuple, en somme. Elle-même ne parlait pas anglais, mais elle disait à la petite Judith qu'il fallait apprendre à se débrouiller et à réussir en dehors de la société indienne. Judith a perdu sa grand-mère à 12 ans, mais elle n'a jamais oublié ses conseils. Quand sa grand-mère est morte, elle avait déjà décidé de devenir avocate.

Judith, qui appartenait à une famille de cinq enfants, s'est mise à fréquenter le temple des mormons. Ceux-ci, poussés par leur zèle missionnaire, s'étaient établis à Port Alberni. Ils étaient particulièrement bien implantés dans les réserves indiennes. Ils offraient des programmes spéciaux d'éducation et organisaient des échanges avec la Brigham Young University de Provo, dans l'Utah. À l'âge de 18 ans, Judith a quitté la maison et est allée étudier à cette université grâce à une bourse de l'église des mormons. Elle s'est orientée vers les sciences de l'administration, et elle réussissait bien. Pendant une brève période, elle a failli renoncer à être avocate; elle se disait que, après tout, elle pourrait bien faire une maîtrise en administration. Cependant, au moment où elle a reçu son bac-

calauréat en sciences de l'administration, en 1977, elle était résolue à retourner en Colombie-Britannique, pour être près de sa famille et faire son droit.

Pendant la période où Judith a étudié le droit à l'Université de la Colombie-Britannique, le nombre de femmes augmentait beaucoup dans les écoles et facultés de droit de tout le Canada. Aujourd'hui, elles constituent la moitié de la plupart des classes de droit, mais à l'époque, elles n'en constituaient que le tiers. Judith ne passait donc pas inaperçue, d'autant plus qu'il y avait seulement deux ou trois autres étudiants autochtones, hommes ou femmes. On reconnaissait son autorité; par exemple, c'est elle qui a été choisie, par voie de scrutin, pour prononcer le discours de promotion des étudiants autochtones à l'université. En 1981, elle a obtenu son baccalauréat en droit. Elle avait l'intention d'entreprendre une maîtrise en droit autochtone l'automne suivant, mais, au cours de l'été, il s'est produit un événement qui a changé sa vie. Un avocat indien d'Edmonton lui a offert un emploi d'été à l'Association des Indiens de l'Alberta.

En 1981-1982, le Canada révisait sa constitution. On voulait rapatrier l'Acte de l'Amérique du Nord britannique et y intégrer une Charte des droits et libertés. Cependant, on avait amorcé ce processus sans tenir compte des droits des autochtones, et les groupes indigènes de tout le pays s'organisaient pour forcer Ottawa et Londres à reconnaître leurs droits traditionnels. Judith se retrouvait donc au coeur d'une bataille très importante. Elle a préparé de la documentation et des arguments juridiques pour les chefs indiens qui faisaient des représentations à la reine (le «lobby de Londres») et pour le procès que les Premières Nations avaient intenté devant la Cour d'appel de la Grande-Bretagne afin que les obligations contractées envers elles soient maintenues. Les Premières Nations faisaient valoir que, en tant que gardienne de la constitution du Canada, la reine était tenue, par traité, de veiller à ce que l'Acte de l'Amérique du Nord britannique soit rapatrié seulement une fois que les autochtones auraient obtenu justice. «C'était tellement passionnant, dit Judith Sayers, que, quand est venu le moment de reprendre mes cours, je n'en ai tout simplement pas été capable. Je suis restée et j'ai travaillé à l'Association des Indiens de l'Alberta jusqu'à la fin des négociations.»

Au moins, le lobby de Londres a remporté une victoire partielle. On a ajouté à la charte un article qui garantit que ce docu-

ment ne portera pas atteinte aux droits acquis des peuples aborigènes du Canada. Toutefois, comme le démontre la carrière de Judith Sayers, les autochtones sont loin d'avoir été pleinement intégrés au processus constitutionnel.

Après ce travail sur la constitution, Judith Sayers a fait un stage dans un cabinet d'avocats d'Hobbema qui se spécialisait dans les droits des autochtones. Elle a élu domicile en Alberta; tantôt, elle fait de la pratique privée, tantôt elle est avocate-conseil auprès des bandes indiennes de la province. En outre, elle est reconnue comme chercheuse, et elle est spécialiste des droits de la personne sur le plan international. Elle s'est souvent rendue à Genève pour présenter, au nom des Quatre Nations d'Hobbema, des requêtes à la Commission des droits de l'homme des Nations Unies. De plus, elle a assisté à des assemblées de l'Organisation internationale du travail et de la Sous-commission de la lutte contre les mesures discriminatoires et de la protection des minorités. Tous les ans, depuis 1983, elle passe plusieurs mois à Genève en prévision des réunions du Groupe de travail des populations autochtones. Il lui est arrivé de s'y rendre deux ou trois fois par an. Malgré tous ces voyages, elle arrive à concilier son travail et sa vie privée. Célibataire, elle a une petite fille, et récemment, elle a eu un deuxième enfant. L'année passée, dit-elle, quand je suis allé à Genève, j'ai emmené ma mère et ma fille. Elles se sont bien amusées." Sa mère, elle en est certaine, n'avait jamais imaginé qu'elle serait une aussi grande voyageuse.

Récemment, les recherches de Judith Sayers ont reçu un formidable coup de pouce. Chaque année, le Conseil de recherches en sciences humaines du Canada décerne à un chercheur ou à une chercheuse de haut niveau la Bourse Bora Laskin pour la recherche sur les droits de la personne. Cette bourse, qui encourage les études multidisciplinaires, représente environ 55 000 $ pour la ou le récipiendaire. Judith Sayers l'a reçu en décembre 1989. Libérée de tout souci financier, elle peut passer une année entière à terminer son étude sur les droits de la personne et les peuples indigènes du Canada.

En acceptant cette bourse, Judith Sayers a déclaré : «Sous le rapport des droits de la personne, les peuples autochtones du Canada sont mal lotis comparativement à l'ensemble des Canadiens, qu'il s'agisse de leurs conditions de vie ou de l'emprise qu'ils ont sur leur existence. Nos droits sont bafoués régulièrement. Il faut consentir de grands efforts pour les reconnaître

et pour réaliser l'égalité.»

Quand on lui demande ce qu'elle aimerait dire aux jeunes femmes, elle répond : «Les femmes ont beaucoup plus de volonté et de détermination que les hommes. Je suis convaincue que ce sont elles qui vont être à l'avant-garde de la défense des causes sociales et des mouvements de changement social. Nous nous dévouons plus aux causes que nous choisissons.»

«*Accrochez-vous à vos rêves*, conseille-t-elle. *Si vous croyez en vous mêmes, vous pourrez faire ou être tout ce que vous voulez.*»

Photo: Bill Dunn

# Julia Levy
Biochimiste

*La chimie organique m'aurait plu, mais en biochimie on peut faire des cultures en l'espace d'une nuit. J'aime cultiver des choses vivantes. J'ai un faible pour le jardinage!"*

Quand Julia Levy parle de son enfance, on a l'impression de voir défiler une immense fresque cinématographique, tant elle a connu des périodes agitées.

Son père, Hollandais, était banquier. Il travaillait en Indonésie, alors une colonie hollandaise, lorsqu'il a fait la connaissance de sa mère, une Britannique. Ils se sont mariés deux ans plus tard en Birmanie, et son père a été affecté successivement en plusieurs endroits de l'Asie du Sud-Est. Julia est née à Singapour en 1934. Elle n'avait donc que cinq ans lorsque la Deuxième Guerre mondiale a éclaté en Europe. La famille vivait alors en Indonésie, et son père savait que les hostilités gagneraient bientôt cet archipel. Il ne pouvait pas envoyer sa femme et leurs enfants en Hollande ni en Angleterre, où se trouvaient leurs familles, parce qu'il y aurait certainement des combats dans ces pays. Mais il avait un vieil oncle qui s'était installé au Canada. Alors, Julia, sa soeur aînée et leur mère se sont embarquées à bord d'un navire transocéanique pour le rejoindre. Venant d'une contrée humide et chaude, elles croyaient qu'elles allaient se retrouver dans un pays glacial. «Je n'ai pas oublié notre arrivée à Vancouver, dit Julia Levy. Ma mère avait réussi à trouver de la serge bleue et nous avait confectionné de petits costumes. Nous avons débarqué par une chaude journée d'août, et nous étions tellement emmitouflées que, pendant les milles

que nous avons marchés avec notre oncle pour nous rendre à notre nouvelle maison, nous avons cru mourir.»

Sa mère a subvenu aux besoins des deux filles durant toute la guerre. Elle avait un diplôme universitaire et une certaine formation en physiothérapie. Comme elle avait caché l'argent de sa dot dans sa ceinture, elle n'était pas arrivée au Canada tout à fait démunie. Peu de temps après, elle a trouvé un emploi à Vancouver, à la Commission des accidents du travail. Julia et sa soeur ont pu entrer dans un pensionnat de la ville; elles bénéficiaient d'une aide financière, mais elles ignoraient, à l'époque, qu'elles n'avaient pas été admises aux mêmes conditions que les autres élèves. Elles n'ont pas revu leur père avant la fin des hostilités. Il avait été fait prisonnier et avait passé des années dans un camp en Indonésie.

Toutes ces expériences ont marqué Julia Levy. «J'ai toujours su, dit-elle, qu'on ne peut pas s'appuyer sur quelqu'un d'autre. Il faut être capable de se suffire à soi-même. Autrement, le monde peut basculer du jour au lendemain, et on peut se retrouver sans rien.»

Au pensionnat, on mettait l'accent sur les humanités et la littérature. La formation scientifique de Julia a donc été négligée, même au niveau secondaire. «Ce qui m'a poussée vers la médecine, se rappelle-t-elle, c'est mon amour pour les animaux. Ce qui se rapportait à la médecine m'intéressait, et je songeais à devenir vétérinaire ou médecin.»

Elle est entrée à l'Université de la Colombie-Britannique dans l'intention de faire sa médecine, mais en cours de route, elle s'est découvert une passion pour la biochimie — la chimie des êtres vivants. «La chimie organique (la chimie du carbone et des substances connexes) m'aurait plu, dit-elle, mais en biochimie, on peut faire des cultures en l'espace d'une nuit. J'aime cultiver des choses vivantes. J'ai un faible pour le jardinage!» Parvenue à sa troisième ou quatrième année, elle était consciente qu'il lui fallait aller au-delà des études de premier cycle. «J'ai toujours su, explique-t-elle, que je devais être maîtresse de mon destin.»

Julia Levy s'est mariée au sortir de l'université. Comme son mari voulait étudier en Angleterre, elle l'a accompagné là-bas, en espérant trouver du travail à l'Institut national de recherche médicale. Au cours d'une entrevue, quelqu'un l'a encouragée à faire son doctorat à Londres. Elle s'est mise à faire de la recherche médicale, surtout en immunologie, c'est-à-dire sur

le système immunitaire. «C'est vraiment là, dit-elle, que j'ai appris à *faire* de la science.» On lui a enseigné à envisager la science dans une perspective plus européenne ou britannique, c'est-à-dire plus traditionnelle, qu'américaine. «La compétition avait moins d'importance qu'aux États-Unis, explique-t-elle. Moi-même, j'ai l'esprit de concurrence, un esprit de concurrence très fort, en fait. Mais c'est avec *moi-même* que je rivalise.» En 1958, elle a obtenu son doctorat en biochimie à l'Université de Londres.

Ensuite, Julia Levy est revenue au Canada et s'est jointe au corps professoral de l'Université de la Colombie-Britannique à titre de professeure de microbiologie. En plus, elle s'est lancée dans une ambitieuse carrière de recherche. Divorcée, elle a mené de front, pendant sept ans, sa carrière de professeure et de chercheuse tout en élevant seule ses deux enfants. «Il fallait que je sois très bien organisée, mais je n'ai jamais douté que je me tirerais d'affaire», dit-elle. Elle a fait en sorte que tous les aspects de sa vie s'harmonisent le mieux possible. «J'habitais près de mon lieu de travail. J'avais de l'aide pour les enfants — quelqu'un qui restait chez moi, alors ils se sentaient en sécurité. En plus, je rentrais *toujours* assez tôt pour passer du temps avec eux avant qu'ils se couchent.»

Ses recherches médicales commençaient à porter fruit, à laisser entrevoir un nouveau mode de traitement du cancer. Elle étudiait surtout le système immunitaire et les tumeurs. Avec le temps, elle s'est mise à combiner l'immunologie et ce qu'on appelle la thérapeutique photodynamique (l'utilisation, dans le traitement du cancer, de médicaments sensibles à la lumière). Son travail a été reconnu internationalement et elle a reçu de nombreuses distinctions. En 1980, elle a été élue à la Société royale du Canada. En 1987, le premier ministre Brian Mulroney l'a nommée au Conseil consultatif national des sciences et de la technologie, dont il est le président.

Dans les années 1970, Julia Levy s'est remariée et a eu un troisième enfant — son deuxième mari étudiait la philosophie des sciences. En 1981, elle a fondé, avec quatre de ses collègues, une société de recherche pharmacologique, la Quadra Logic Technologies Inc. Les recherches qu'elle a faites pour cette compagnie ont surtout visé à déterminer comment on peut utiliser la lumière pour déclencher certaines réactions contre diverses maladies. Fondamentalement, le traitement consiste à donner des médicaments qui sont activés par la lumière et qui s'ac-

cumulent seulement dans les tissus cancéreux. D'abord, on administre le médicament photosensitif au malade, puis on place, dans son organisme, une sonde de fibres optiques au bout de laquelle se trouve un faisceau laser de faible puissance. On dirige la sonde vers la tumeur, et le médicament commence à agir seulement sous l'effet du laser. Cette méthode permet de traiter uniquement les tissus malades, sans affecter les tissus sains. La thérapeutique photodynamique peut aussi servir à soigner d'autres maladies, par exemple l'artériosclérose, le psoriasis et les maladies transmises sexuellement.

«C'est formidable, dit Julia Levy, de voir les résultats de la recherche en laboratoire déboucher sur des applications commerciales.» Son titre, «Vice-présidente — Découvertes», en dit long sur la place qu'elle occupe dans la compagnie. La Quadra Logic Technologies Inc. a obtenu des résultats très intéressants et attiré l'attention de plusieurs sociétés pharmacologiques des États-Unis. «Au début, les gens des grosses compagnies avec lesquelles nous faisons affaires sont surpris de voir qu'une compagnie canadienne peut faire des recherches comme celles-là, explique-t-elle en riant. Ensuite, ils n'en reviennent pas de voir autant de femmes parmi les cadres intermédiaires et supérieurs.» Si la Quadra Logic en compte un aussi grand nombre, ce n'est pas à cause d'un quelconque programme d'action positive. La compagnie embauche tout simplement les meilleurs candidats ou candidates. Certaines des personnes qui y travaillent ont déjà collaboré avec Julia Levy à l'Université de la Colombie-Britannique à titre d'assistantes ou d'assistants de recherche.

Julia Levy continue de travailler à la fois dans le monde des affaires et à l'université. Elle aime ces deux univers, et elle poursuit énergiquement sa carrière universitaire dans l'enseignement et la recherche.

Qu'a-t-elle à dire aux jeunes femmes? «*Ayez de l'audace! Et ne laissez personne vous décourager. Les femmes peuvent tout faire!*»

## Lorna Marsden
Sociologue/sénatrice

*«En tant qu'étudiante je vivais dans un monde irréel. Cela a été une révélation de voir ce que les femmes devaient encore affronter.»*

Infirmière, institutrice : telles étaient à peu près les seules professions auxquelles une jeune femme paraissait pouvoir se destiner à la fin des années 1950. Lorna Marsden rêvait de travailler en réadaptation, mais après mûre réflexion, elle a opté pour l'enseignement. Elle se sentait à l'étroit dans la petite ville de Colombie-Britannique où elle vivait, mais à l'époque, les filles n'étaient pas censées vouloir quitter leur famille pour aller à l'université. Son père était scientifique; sa mère tenait la maison. Ce que la société disait à Lorna, subtilement bien sûr, c'était qu'elle devait respecter la tradition et faire comme sa mère, et non suivre les traces de son père. Sa famille n'a jamais été riche, et cela aussi limitait ses perspectives d'avenir. Lorna est donc entrée au Victoria College (aujourd'hui l'Université de Victoria) pour se préparer à l'enseignement, mais cela n'empêchait pas que, déjà, elle était résolue à voyager le plus possible.

En suivant des cours de zoologie, Lorna s'est prise d'enthousiasme pour la génétique. «C'était merveilleux! se rappelle-t-elle. À l'époque, on faisait tellement de découvertes dans cette discipline! J'étais littéralement fascinée par les systèmes, les structures, les choses complexes. J'adorais les sciences. C'était comme des casse-tête.» Elle réussissait bien en zoologie, mais elle s'est mariée, et pendant six ans, elle n'a pas été à l'université. Elle a travaillé dans divers endroits pour faire vivre le ménage, parce que son mari poursuivait ses études univer-

sitaires. Enfin, elle s'est inscrite à l'Université de Toronto. Elle voulait toujours devenir généticienne, mais son professeur de génétique l'a détournée de cette voie. «Il me disait que les femmes finiraient assistantes de laboratoire», signale-t-elle avec un brin de déception. Comme elle avait aussi étudié la sociologie, elle s'est orientée vers les sciences sociales. Ce domaine lui plaisait et offrait la possibilité de manifester de la créativité.

Plusieurs universités offraient une bourse à Lorna pour ses études de troisième cycle, mais elle a choisi la prestigieuse Université de Princeton, aux États-Unis, parce que le département y était excellent et parce que «c'était celle dont le montant de la bourse était le plus élevé». Son mari l'appuyait sans réserve. On était à la fin des années 1960; le mouvement féministe en était à ses débuts. Pourtant, malgré sa grande indépendance, Lorna avait l'impression que la «libération des femmes», comme on disait alors, ne la concernait pas. C'est seulement lorsqu'un de ses professeurs lui a imposé un travail de recherche sur la situation des enseignantes d'université qu'elle a constaté combien d'obstacles s'élevaient devant les femmes et est devenue une féministe engagée. «En tant qu'étudiante, dit-elle, je vivais dans un monde irréel. Cela a été une révélation de voir ce que les femmes devaient encore affronter.» Cette étude a modifié sa perception des choses. À mesure qu'elle établissait des liens entre la condition sociale des femmes et les possibilités de changement, elle s'est mise à s'intéresser à la politique.

Lorna Marsden a obtenu son doctorat en sociologie à l'Univeristé de Princeton en 1972 et est retourné au département de sociologie de l'Université de Toronto pour enseigner et continuer ses recherches. Des collègues l'ont invitée aux assemblées de fondation du Comité de l'Ontario sur la condition féminine ainsi qu'à la conférence inaugurale du Comité canadien d'action sur le statut de la femme. À cause de ses relations dans le mouvement féministe, elle a été amenée à travailler pour une candidate à un siège aux Communes — Aideen Nicholson, qui a été élue députée libérale en 1974, au terme d'une deuxième campagne. Cependant, Lorna Marsden faisait de la politique moins par ferveur partisane que dans l'espoir de changer la situation des femmes. Tout en continuant d'enseigner à l'Université de Toronto, elle est devenue de plus en plus active au Parti libéral du Canada. D'abord, elle a

été membre de la Commission féminine, ensuite vice-présidente nationale du parti, puis présidente du Comité national des orientations.

En même temps, elle faisait toujours de la recherche et publiait beaucoup. Elle étudiait la dynamique de la population, la question des femmes au travail et les répercussions des décisions politiques sur la vie économique des femmes. Ce sont ces changements qui ont toujours été son principal centre d'intérêt, et son livre le plus important porte sur le changement social au Canada. Intitulé *The Fragile Federation* («La fédération fragile»), il examine quel rôle le Canada, en tant que société périphérique, joue dans le système global où il s'inscrit. Son ouvrage le plus récent, *Lives of their Own* («Une vie bien à elles»), écrit en collaboration avec deux collègues, est une étude des changements auxquels font face les Canadiennes. Réputée dans les milieux intellectuels, Lorna Marsden a aussi exercé de nombreuses fonctions administratives dans son université.

Entre-temps, la politique a pris encore plus de place dans sa vie. En 1984, elle a été nommée au Sénat. Elle participe activement aux travaux de plusieurs comités sénatoriaux et préside l'un d'entre eux, le Comité des affaires sociales, des sciences et de la technologie. En outre, elle enseigne à temps partiel à l'Université de Toronto, écrit des articles spécialisés et siège à la corporation du Massey College. Ses deux univers ne sont pas séparés par des cloisons étanches. Souvent, elle fait de la recherche sur des questions qui ont été soulevées dans un comité du Sénat. D'autres fois, elle cherche des solutions politiques à des problèmes soulevés dans le contexte universitaire.

Assise dans son bureau de l'édifice de l'Est, sur la colline du Parlement, Lorna Marsden songe : «Si je devais choisir entre le Sénat et l'université, je choisirais l'université.» Mais, malgré tout l'attachement qu'elle éprouve pour le monde universitaire, elle est irritée de voir qu'il est encore dominé par les hommes : «Je n'ai jamais pu, dit-elle, m'y sentir tout à fait chez moi.»

Son mariage a survécu à sa double vie de sénatrice et de professeure. Elle et son mari n'ont pas voulu avoir d'enfants. «Dans le temps, dit-elle, on ne voyait jamais une femme mariée, avec des enfants, réussir dans le monde universitaire. »On ne peut pas tout avoir!" : c'était ce que la société disait. Mais ce n'est plus du tout comme cela maintenant." Il y a autre chose qui a beaucoup changé : de nos jours, on ne fait plus pression sur les femmes pour qu'elles ne se dirigent pas vers les sciences.

«Parfois, dit-elle en souriant, *je me dis que ma prochaine carrière sera scientifique.*» Étant donné son énergie et son enthousiasme, tout est possible!

À voir avec quelle détermination Lorna Marsden a vécu sa vie, on peut aisément deviner ce qu'elle recommande aux jeunes femmes : «*Ne faites pas de compromis sur les choses importantes. Travaillez pour faire avancer les causes en lesquelles vous croyez.*»

## Madeleine Blanchet
Épidémiologue

Photo: Éditeur officiel du Québec

*Il faudra toujours lutter pour avoir à la fois une profession et une famille. Mais il n'y a pas de doute : c'est réalisable.*

«Ma mère était féministe avant l'heure», dit Madeleine Blanchet en faisant remarquer combien celle-ci était déterminée à ce que ses huit enfants, sans exception, aillent à l'université. Sa mère était une jeune femme brillante, énergique et inventive, mais seuls les garçons de la famille avaient fait des études universitaires. Le père de Madeleine Blanchet était médecin, et en plus, il enseignait la médecine à l'Université Laval. Lui-même et sa femme encourageaient leurs enfants à poursuivre leurs études et à viser la profession de leur choix, sans égard aux stéréotypes masculins et féminins.

À l'école secondaire, Madeleine détestait les mathématiques. «J'aimais le théâtre et je rêvais de monter sur les planches, de faire du théâtre professionnel.» Pendant ses vacances d'été, la future présidente du Conseil des affaires sociales du Québec était comédienne.

Cependant, une fois parvenue dans les dernières années de son cours classique, à la fin des années 1940, elle a été attirée par la profession de son père. Après avoir obtenu son baccalauréat ès arts en 1952, elle a commencé ses études de médecine à Laval. Elle avait choisi l'école de médecine en partie parce qu'elle savait qu'elle serait une pionnière. Sur 125 étudiants, il n'y avait que 5 femmes, dont elle. «Je savais qu'en m'en allant en sciences, se rappelle-t-elle, je ferais quelque chose que très peu de femmes au Québec faisaient. J'étais fière de relever ce défi.» Elle s'est mise à s'intéresser à l'hygiène publique et, au

sortir de l'école de médecine, elle est allée à l'Université de Montréal en vue d'obtenir un diplôme dans ce domaine.

Madeleine Blanchet a toujours su qu'elle voulait tout avoir : une profession, un mari, des enfants. Et elle a choisi sa spécialité en fonction de cela. Si elle devenait médecin praticien, se disait-elle, ses horaires seraient trop chargés ou trop imprévisibles pour qu'elle puisse élever une famille. La recherche lui offrirait une plus grande marge de manoeuvre. Une nouvelle discipline faisait son apparition au moment où elle terminait ses études en hygiène publique, en 1961. Elle a donc résolu, encore une fois, de s'aventurer hors des sentiers battus.

Ce nouveau domaine était l'épidémiologie, qui consiste à étudier les populations humaines afin d'établir des liens entre différentes maladies et les facteurs qui peuvent les engendrer — par exemple l'environnement, les agents infectieux ou le bagage génétique. Madeleine Blanchet s'est mise en route pour l'Université Harvard de Cambridge, au Massachusetts, afin de faire une maîtrise ès sciences. L'épidémiologie attirait non seulement des médecins, mais aussi des statisticiens, parce que le travail comportait des notions et des applications mathématiques. Madeleine Blanchet a donc dû affronter sa bête noire, les mathématiques, et ce au niveau de la maîtrise, dans l'une des universités les plus renommées et les plus exigeantes au monde. Elle craignait de ne jamais s'en tirer. Partant de zéro, ou presque, elle a assimilé toute la matière et a décroché en 1967 une maîtrise ès sciences à l'école d'hygiène publique de Harvard.

Madeleine Blanchet a toujours été en avance sur son temps, dans ses études comme dans sa vie privée. Non seulement a-t-elle opté pour un domaine traditionnellement masculin, mais elle a fait ce que bien des femmes font aujourd'hui : attendre que sa carrière soit bien lancée avant d'avoir des enfants. Un premier mariage contracté au sortir de l'université s'est terminé par un divorce, mais en 1967, après avoir obtenu son dernier diplôme, elle s'est remariée. Aujourd'hui, elle souligne à quel point il est important de bien choisir son conjoint : «Sans la collaboration et l'appui de mon mari, je n'aurais pas pu faire tout ce chemin.» Quand leurs deux enfants étaient petits, elle faisait de la recherche et enseignait l'hygiène publique à l'école de médecine de l'Université Laval. «Faites connaître vos objectifs à votre futur conjoint, conseille-t-elle aux jeunes femmes. Dites-lui *où* vous voulez aller et *quand*.»

«Il faudra toujours lutter pour avoir à la fois une profession et une famille. Mais il n'y a pas de doute : c'est réalisable.»

Madeleine Blanchet s'est taillé une réputation internationale. Elle a siégé à divers conseils et commissions du gouvernement, et surtout — elle en est particulièrement heureuse — ses travaux ont eu des répercussions politiques. À cause de ses recherches sur l'alimentation et le troisième âge, et de sa faculté de persuasion, le gouvernement du Québec a mis en oeuvre une première politique de gérontologie et de nutrition. Il a d'abord fallu toute une série d'études épidémiologiques pour démontrer qu'une partie de notre population, les personnes âgées, souffre de graves problèmes de nutrition. Puis, une fois les données rassemblées, Madeleine Blanchet, présidente du Conseil québécois des affaires sociales depuis 1980, les a soumises à l'attention du gouvernement et a exigé un programme qui améliorerait l'alimentation des aînés.

Madeleine Blanchet continue d'être active. En 1989, elle a été élue à la Société royale du Canada. Son enthousiasme et son énergie ébahissent ses admiratrices et admirateurs. Elle reconnaît que, même si aujourd'hui, il serait beaucoup plus facile pour une jeune femme de suivre la même voie qu'elle, tout n'est pas gagné. Elle défend les droits des femmes au Conseil des affaires sociales. À son avis, le congé de maternité des secrétaires a autant d'importance que l'égalité des chances pour les chercheuses médicales.

À la prochaine génération, elle déclare : «*Je crois beaucoup à la solidarité féminine.*»

# Sylvia Olga Fedoruk

Biophysicienne/
lieutenant-gouverneur de la Saskatchewan

*Avec le progrès technologique les filles vont devoir con-
naître plus que jamais les sciences et les mathématiques.*

Sylvia Fedoruk se compte chanceuse d'avoir reçu sa formation
de base dans une école des Prairies où son père enseignait à tous
les élèves dans une seule et même pièce. Durant neuf ans, elle
a pu se consacrer à ses matières préférées avec une liberté qu'on
ne trouve pas couramment dans les écoles d'aujourd'hui. Tout
de même, dans les années 1930, personne ne s'attendait qu'une
fille fasse autre chose qu'un travail dit «féminin» — du travail
de commis ou de sténographe, par exemple. En neuvième année,
Sylvia a dû choisir entre la dactylographie et le français. Pour
se préparer au secrétariat, elle a choisi la dactylographie.

Quand la Deuxième Guerre mondiale a éclaté, sa famille a
quitté la Saskatchewan pour s'établir à Windsor, en Ontario.
Comme elle n'avait pas étudié le français, Sylvia a été placée
dans le groupe le plus faible. Pour se rattraper, elle a décidé de
faire en même temps le français de neuvième et de dixième
années. Reclassée dans le groupe le plus fort, elle s'est découvert une passion pour les mathématiques et la physique. Une
de ses institutrices d'anglais a remarqué qu'elle avait un réel
talent pour les sciences et l'a orientée vers un jeune instituteur
de physique de Windsor qui l'a encouragée à envisager des
études de chimie ou de physique.

Après le secondaire, Sylvia est passée au niveau collégial, à
l'Université de la Saskatchewan. Là, un jeune professeur de physique lui a suggéré de se spécialiser en biophysique. Ce conseil
était fort judicieux. Les physiciennes étaient très rares, mais

en milieu hospitalier, les femmes étaient nombreuses. En acquérant une formation en physique et en la mettant au service de la lutte contre la maladie, Sylvia aurait devant elle un vaste éventail de possibilités. Son entourage a vite constaté qu'elle aimait se dépasser. Elle s'est aussi fait une réputation de sportive: elle excellait au curling, jouait au basketball et au volleyball, et faisait de l'athlétisme. Amatrice de plein air, elle allait camper et faire de la pêche à la mouche dans le nord de la Saskatchewan.

La plupart de ses condisciples étaient des jeunes gens qui avaient fait la Deuxième Guerre Mondiale. Peut-être étaient-ils plus sérieux et plus adultes que bien des collégiens d'aujourd'hui. En tout cas, Sylvia n'a jamais eu à subir la moindre hostilité de leur part, même si elle se trouvait dans un domaine traditionnellement réservé aux hommes. Elle réussissait bien, et en 1951, elle obtenait une maîtrise en biophysique à l'Université de la Saskatchewan. C'est alors qu'elle a décidé de se spécialiser dans une nouvelle discipline, la médecine nucléaire, c'est-à-dire le traitement du cancer par les radiations. Pendant trente-cinq ans, elle a dirigé l'équipe de biophysique à la clinique de traitement du cancer de Saskatoon et les services de physique à la fondation de lutte contre le cancer de la Saskatchewan. De plus, elle a enseigné la physique et l'oncologie (l'étude du cancer et de ses causes) à l'Université de la Saskatchewan.

Sylvia Fedoruk a travaillé au sein de l'équipe qui a mis au point, pour le traitement du cancer, certains des premiers isotopes de cobalt 60 au monde ainsi que l'un des premiers scanners employés en médecine nucléaire. C'est avec émotion qu'elle parle d'une lettre de félicitations reçue après la parution d'un reportage sur ses recherches dans le magazine *Maclean's*. «Mon institutrice d'anglais, Ruth McLaren, celle-là même qui m'avait encouragée à envisager une carrière en physique, m'a écrit pour me dire combien elle était fière de son ancienne élève.»

Sylvia Fedoruk a siégé 15 ans à la Commission de contrôle de l'énergie atomique du Canada et a été conseillère auprès de l'Agence internationale de l'énergie atomique à Vienne. Ses connaissances sur la physique des radiations et sur les applications médicales de la technologie nucléaire ont aidé l'agence à formuler des recommandations sur les doses de radiation et les contrôles d'exposition. Même si ses recherches scientifiques et thérapeutiques l'occupaient beaucoup, elle a toujours trouvé

le temps de faire du sport. Elle a continué de jouer au curling, et en 1986, elle a été nommée au Temple de la Renommée du Curling du Canada. La même année, la Y.W.C.A. l'a élue femme de l'année. Elle ne s'est pas mariée et n'a pas eu d'enfants. «Ce n'était pas pour moi», dit-elle sans le moindre regret. En 1988, elle a eu un doctorat honorifique ès sciences de l'Université de Windsor, et en 1990, un doctorat honorifique de la University of Western Ontario.

Après avoir cessé d'enseigner à temps plein à l'université, Sylvia Fedoruk aurait pu croire que sa vie professionnelle entrait dans son déclin. Or, un événement tout à fait imprévu est survenu : en 1988, elle a été nommée lieutenant-gouverneur de la Saskatchewan. «Jamais je n'aurais imaginé une chose pareille! dit-elle en riant. Un jour, en 1939, — j'avais 12 ans et je m'en souviens comme si c'était hier — je me tenais à côté d'un passage à niveau, à Melville. J'espérais entrevoir Georges VI et la reine Élizabeth, qui faisaient alors une tournée au Canada. Et maintenant, je suis la représentante de Sa Majesté en Saskatchewan!»

Peu après sa nomination, Sylvia Olga Fedoruk a décidé d'accorder une attention particulière à l'éducation des enfants. Elle parcourt la province et s'adresse aux élèves, les pressant de poursuivre leurs études et d'avoir confiance en eux-mêmes.

Elle s'inquiète de voir que les filles et les jeunes femmes abandonnent les sciences et les mathématiques parce qu'elles ne réalisent pas que ces matières leur seront nécessaires dans bien des domaines. «Avec le progrès technologique, note-t-elle, les filles vont devoir connaître plus que jamais les sciences et les mathématiques. Les cours d'informatique commencent plus tôt à l'école. Il faut espérer que cela leur facilitera l'apprentissage des mathématiques et des sciences.»

*«Fixez-vous des objectifs,»* recommande-t-elle aux jeunes femmes qui planifient leurs carrières. *«Visez plus haut que ce que vous croyez possible. Si vous rêvez de faire l'impossible, vous y parviendrez!»*

# Thérèse Gouin-Décarie

Psychologue

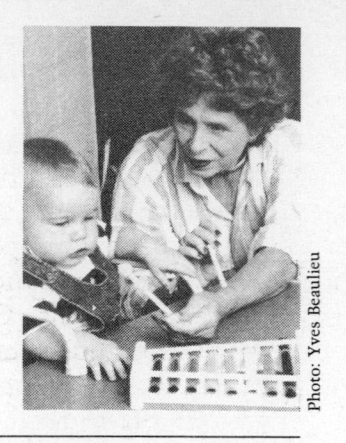

*Quand on aime une chose, c'est important de s'y consacrer. On finit par se tailler une place. C'est le secret du bonheur.*

Pour Thérèse Gouin-Décarie, les études universitaires n'allaient pas de soi. Il a fallu qu'elle y tienne énormément et qu'elle fasse elle-même des démarches pour se trouver des professeurs. Elle appartenait à une famille montréalaise bien connue. Son père était avocat et enseignait le droit à l'Université de Montréal. Sa mère était écrivain et ses pièces étaient jouées à Paris. À la maison, on discutait ferme, et l'atmosphère était stimulante. Par contre, à l'école, on n'encourageait pas Thérèse à songer à une carrière. Au début des années 1940, la mère supérieure du Couvent du Sacré-Coeur avait l'habitude d'expliquer aux élèves que les études supérieures n'étaient pas pour les jeunes filles distinguées.

Cependant, Thérèse est toujours restée imperméable à ces discours. C'est un professeur du couvent qui les a encouragées, elle et quelques-unes de ses amies, à réaliser leurs rêves. Ce prêtre qui enseignait la morale et la philosophie expliquait aux élèves qu'elles devaient chercher des moyens d'utiliser leur intelligence d'une façon plus complète que ne le permettait le système traditionnel.

Les Dames du Sacré-Coeur ne faisaient pas passer d'examen préparatoire à l'université. Pour accéder aux études supérieures, Thérèse devait se débrouiller pour obtenir son baccalauréat. Au sortir du couvent, elle-même et quatre de ses amies ont gravi l'imposant escalier de bois qui menait à l'Université de Montréal. Elles cherchaient des professeurs qui accepteraient de leur

donner des leçons particulières. Thérèse en a trouvé pour les mathématiques et la chimie. Elle et ses compagnes payaient des répétiteurs et, après avoir passé les examens réglementaires, elles ont finalement été admises à l'Université de Montréal. Aujourd'hui, dit Thérèse Gouin-Décarie en souriant, «mes anciens professeurs sont mes collègues!» En 1945, elle obtenait sa licence en psychologie. «Les processus psychologiques, les questions de santé mentale, les conflits entre les individus, tout cela me fascinait. C'était un domaine tellement nouveau, signale-t-elle, que personne ne savait si un jour, nous trouverions un emploi, ni quel genre de travail nous allions faire.»

L'Université McGill était réputée pour son programme de psychologie, mais à l'Institut de psychologie de l'Université de Montréal, on mettait davantage l'accent sur l'intervention directe auprès des personnes qui avaient besoin de soutien psychologique. Même si cet institut venait à peine d'ouvrir ses portes, c'est là que Thérèse Gouin-Décarie a décidé d'aller. «Oui, admettait-elle récemment, c'était risqué. Mais quand on aime une chose, c'est important de s'y consacrer. On finit par se tailler une place. C'est le secret du bonheur.»

Être heureuse faisait partie de ce que Thérèse voulait, et elle avait toujours souhaité se marier et avoir des enfants. Elle a fait un bon choix : l'homme qu'elle a épousé en 1948, et qui est toujours son mari, l'a encouragée dans sa détermination à exceller dans ses études et dans sa profession. Lui-même avait dû vaincre quelques obstacles puisqu'il a été le premier professeur laïque de philosophie au Québec.

Thérèse Gouin-Décarie voulait «tout avoir», mais évidemment, cela l'obligeait à prendre des décisions difficiles. Elle a conclu que c'était plus important pour elle d'avoir des enfants que de terminer son doctorat dans un temps record. Elle a eu quatre enfants et a obtenu son diplôme en 1960, au moment même où son plus jeune entrait à l'école. Sa thèse portait sur un sujet qu'elle n'allait plus jamais délaisser ensuite. Elle l'a publiée sous le titre de : *L'intelligence et l'affectivité chez le jeune enfant*. Le grand théoricien suisse Jean Piaget a préfacé son livre. Depuis, elle n'a pas cessé de travailler sur le développement de l'intelligence et de l'affectivité. Au début des années 1960, elle a étudié le potentiel intellectuel des victimes de la thalidomide. Elle a enseigné à l'Université de Montréal et, tout en faisant de la recherche et en publiant ses observations et ses conclusions, elle a prononcé une multitude de conférences sur

la petite enfance. Sa réputation s'étend au-delà du monde des psychologues. En 1970, elle est devenue la première femme de langue française à siéger au Conseil national de recherches du Canada. Elle est membre de l'Ordre du Canada et de la Société royale du Canada. Elle admet être surprise chaque fois qu'elle reçoit un nouvel honneur ou une nouvelle marque d'estime.

Voici ce qu'elle souhaite dire aux jeunes femmes : «*Gardez un grand appétit de vivre. Si vous voulez tout faire — avoir un conjoint, faire carrière, avoir des enfants — il y a des choses auxquelles vous devrez renoncer. Mais faites ce qui compte le plus. Il est possible de tout avoir,*» ajoute-t-elle en riant, «*mais pour cela, il faut être plutôt acrobate!*»

## Ann Saddlemyer
Historienne de la littérature

Photo: Graduate Centre for the Study of Drama, Université de Toronto

*Soudain, j'étais une érudite! Et ça n'a plus arrêté. Je n'ai jamais eu besoin de chercher un éditeur ni de me demander quel serait mon prochain projet.*

Ann Saddlemyer a grandi à Prince Albert, en Saskatchewan. À l'époque, elle ne soupçonnait pas du tout qu'un jour, elle ferait des études avancées, et encore moins qu'elle acquerrait une réputation internationale dans le domaine des lettres ou qu'elle serait la première femme à diriger le Massey College de l'Université de Toronto.

Son père, avocat, avait étudié le droit dans le cadre du système traditionnel d'apprentissage. Il avait quitté l'Ontario pour faire son stage au cabinet de celui qui avait été son commandant pendant la Première Guerre mondiale. Sa mère, infirmière, avait été l'une des premières personnes de la famille à quitter la ferme. Tous deux jugeaient important que leurs enfants goûtent à un peu de tout ce que la vie peut offrir, y compris l'université. Parallèlement à ses études, Ann faisait de la musique et du ballet. Dans son adolescence, elle a joué du piano dans un orchestre de danse dont elle faisait les arrangements. Ces orchestres connaissaient alors une immense popularité, et elle trouvait que la musique était une belle profession. Elle ne négligeait pas le sport pour autant, et au collège, elle était capitaine de son équipe d'escrime.

Lorsqu'elle est entrée à l'Université de la Saskatchewan, Ann ne savait pas encore exactement ce qu'elle voulait faire dans la vie. En 1953, elle a obtenu un baccalauréat général en anglais et en psychologie. Elle s'intéressait toujours à la musique, et

elle avait travaillé à l'hôpital psychiatrique de Weyburn, en Saskatchewan, pour acquérir de l'expérience clinique. Finalement, elle a décidé de ne pas faire carrière en psychologie. Son entourage ne doutait pas qu'elle irait loin. Elle a obtenu un baccalauréat spécialisé en anglais et, encore incertaine de sa voie, a résolu de faire des études de deuxième cycle dans le même domaine. L'Université Queen's de Kingston lui offrait une bourse; cela a pesé dans sa décision.

Le fait qu'elle-même était attirée par plusieurs professions explique pourquoi Ann Saddlemyer a ressenti des affinités pour un dramaturge irlandais qu'elle étudiait, John Millington Synge. En effet, il avait gagné sa vie comme musicien avant de passer au théâtre et d'écrire *Le Baladin du monde occidental*. Voilà, Ann avait découvert le domaine auquel elle allait consacrer tant d'années : le théâtre irlandais, l'univers de George Bernard Shaw, William Butler Yeats et Synge. Le petit théâtre irlandais, et surtout l'Abbey Theatre de Dublin, a servi de modèle au petit théâtre du monde entier. Mais, contrairement à d'autres secteurs de la littérature qui n'offraient pas beaucoup de matière nouvelle au chercheur, l'oeuvre de Synge n'avait pas été étudiée à fond. En la lisant, Ann sentait la touche du musicien. Pendant son cours secondaire, elle-même avait été organiste d'église; les oeuvres de la «Renaissance irlandaise» la replongeaient comme par magie dans ces souvenirs. Elle a consacré son mémoire de maîtrise à Synge.

En échange de la bourse que lui donnait l'Université Queen's, Ann Saddlemyer devait enseigner au premier cycle. Cela lui a permis de faire une autre découverte importante : «J'ai compris que j'adorais enseigner.» Toutefois, comme l'enseignement et la littérature n'absorbaient pas toutes ses énergies, elle a fondé, avec une amie, une chorale maintenant réputée, la Queen's Choir. Elle pratiquait toujours l'escrime et, alliant son amour du théâtre à ses talents d'athlète, elle a trouvé le temps de mettre en scène les combats à l'épée dans *Hamlet*.

Pour occuper le poste de professeur auquel elle aspirait, Ann Saddlemyer avait besoin d'un doctorat. Ses idées étant désormais bien arrêtées, elle a demandé une bourse qui a été créée par l'Ordre impérial des filles de l'Empire pour favoriser les études à l'étranger. Si elle voulait se consacrer à sa passion, le théâtre irlandais, elle devait absolument aller étudier en Angleterre et en Irlande. En 1957, nantie d'un impressionnant

dossier de l'Université Queen's, elle partait donc étudier trois ans à l'Université de Londres.

La directrice des étudiantes de Queen's lui avait remis une lettre d'introduction pour une vieille amie qui était à l'école de droit du Trinity College de Dublin. Aujourd'hui, Ann Saddlemyer avoue avec une certaine gêne qu'elle a mis beaucoup de temps avant de se présenter à cette personne. Mais, une fois cette démarche faite, elle a cessé d'avoir des doutes quant à l'orientation de ses recherches.

La dame de l'école de droit l'a présentée à une amie qui, comme par hasard, était l'exécutrice littéraire du fonds Synge. Les deux femmes ont sympathisé, et Ann Saddlemyer a obtenu la permission de consulter des documents personnels, inédits, de Synge — ce qui, pour une historienne de la littérature, équivaut à gagner le gros lot! Puis sa nouvelle amie lui a dit qu'elle avait quelqu'un d'autre à lui présenter. Qui était-ce? Nulle autre que la veuve de William Butler Yeats, une des grandes figures du mouvement qui a renouvelé le théâtre irlandais : Georgie Hyde Lees Yeats. Lorsqu'elle a reçu un appel de cette femme qui avait elle-même occupé une place prépondérante dans le monde littéraire de Dublin, Ann Saddlemyer n'en croyait pas ses oreilles : «Soudain, j'étais une érudite!» à partir de là, les choses se sont enchaînées. Quelqu'un en Irlande lui a demandé de jeter un coup d'oeil sur les papiers de lady Isabella Augusta Gregory, qui a été l'une des directrices de l'Abbey Theatre. «Et ça n'a plus arrêté, ajoute Ann Saddlemyer avec un certain ébahissement. Pendant toutes ces années, je n'ai jamais eu besoin de chercher un éditeur ni de me demander quel serait mon prochain projet.»

Ann Saddlemyer a poursuivi ces passionnantes recherches tout en enseignant. D'abord, pendant l'hiver, elle a enseigné à l'Université de Victoria, en Colombie-Britannique, et a passé ses étés à faire de la recherche en Irlande. À compter de 1971, elle a fait la même chose, mais en enseignant à l'Université de Toronto. De nombreux honneurs lui ont été décernés au Canada et en Grande-Bretagne : par exemple, en 1976, elle a été élue membre de la Société royale du Canada. En plus, elle a été membre et directrice du Graduate Centre for the Study of Drama à Toronto. Depuis quelques années, elle fait de la recherche et donne des cours dans un domaine qui s'est développé rapidement dans tout le pays: l'histoire du théâtre canadien. Toujours débordante d'idées et d'énergie, elle a con-

tribué à la fondation de l'Association d'histoire du théâtre au Canada en 1976 et à la fondation de la revue de cet organisme, *Histoire du théâtre au Canada*. Enfin, les Canadiens découvrent un aspect important de leur histoire culturelle, et il se révèle emballant.

Quand on lui parle de sa vie privée, Ann Saddlemyer s'exclame qu'elle a, un peu partout dans le monde, une foule d'amis extraordinaires. Pour elle, la vie est loin de se limiter à l'université. Elle admet que parfois, surtout pendant ses études de premier cycle, des professeurs masculins l'ont découragée, certains par souci pour la jeune fille qu'ils voyaient devant eux. «Ils avaient peur que je me fasse dévorer», explique-t-elle. Cela n'est pas arrivé. Elle est la première femme à diriger le Massey College, où résident des étudiantes et étudiants de deuxième et de troisième cycles.

Son conseil est : «*Ne permettez jamais à personne de vous dire que vous ne pouvez pas vous engager dans telle ou telle voie. Soyez toujours prêtes à continuer jusqu'à ce que vous atteigniez votre objectif.*»

## Geraldine Kenney-Wallace
Chimiste/physicienne

*N'oubliez jamais que grandir est l'affaire de toute une vie.
Je m'interroge encore sur ce que je ferai quand je serai
grande. La profesion que vous choisissez n'est pas simplement ce que vous allez faire jusqu'à la fin de vos jours.
C'est ce qui vous lance dans la vie!*

Quand elle avait 13 ans, la future présidente du Conseil des
sciences du Canada s'asseyait toujours dans la première ran-
gée, avec les trois seules autres filles de la classe, pour suivre
le cours de physique. C'était en Grande-Bretagne, peu après la
Deuxième Guerre mondiale; elle fréquentait une école qui avait
été réservée aux garçons pendant 500 ans et où les filles venaient
à peine d'être admises. L'instituteur de physique regardait par-
dessus la tête de Geraldine et de ses compagnes, et disait aux
garçons: «Je porte mon regard au-delà du désert, vers les champs
fertiles, pour obtenir une réponse.» Les réponses, Geraldine les
connaissait. Et, malgré l'attitude négative de certains maîtres,
son goût pour les sciences n'a pas faibli. Elle s'est donné des
modèles : des femmes comme Marie Curie, qui a découvert le
radium, ou l'aviatrice Amelia Earhart, qui incarnait l'esprit
d'aventure. Elle aussi allait être guidée par la curiosité intellec-
tuelle et connaître le plaisir de la découverte.

Née à Londres, Geraldine a grandi en Angleterre et en Europe,
dans une famille qui voyageait beaucoup. Au moment où elle
a atteint l'âge de 14 ans, elle avait déjà étudié dans neuf écoles,
et en plus, elle avait appris beaucoup de choses en voyant les
ravages qu'avait causés la guerre. Elle s'est toujours sentie

citoyenne du monde. En tant que stratège militaire, son père a servi sur tous les fronts d'Europe, du Moyen-Orient et de l'Extrême-Orient pendant les années où Geraldine, sa jeune soeur et son jeune frère sont restés auprès de leur mère, diplômée en beaux-arts et institutrice. Tout au long d'une série apparemment interminable de déménagements, le clan Kenney allait conserver une unité qu'aucune séparation n'arriverait à briser. «Pour survivre, songe Geraldine Kenney-Wallace, il est essentiel d'avoir un sentiment d'appartenance, des racines. En plus, si on a l'impression de n'être de nulle part, il faut en arriver à comprendre qu'on peut être chez soi partout.» C'est cette attitude qui l'a aidée à affronter les hauts, les bas et les bouleversements de sa carrière itinérante de scientifique.

Historien et économiste, le père de Geraldine tenait beaucoup à ce que tous ses enfants reçoivent une bonne formation scientifique. Geraldine a toujours été une bonne élève, et elle excellait en mathématiques et en sciences. Elle voulait être artiste et écrivain, et elle composait des pièces que ses amis jouaient dans le verger pendant les vacances d'été. Avant d'avoir fait deux années de sciences à l'école secondaire, elle n'avait pas envisagé sérieusement de faire une carrière scientifique. «C'est quand les Russes ont lancé le spoutnik, en 1957, que j'ai eu le coup de foudre pour les sciences, se souvient-elle. À ce moment-là, j'ai décidé de devenir astronome et d'explorer l'espace. Ou archéologue, pour découvrir les mystères de l'Antiquité. Dans un domaine comme dans l'autre, il s'agissait d'aller à la découverte de l'inconnu!» Geraldine n'était pas encore tout à fait fixée, mais deux choses étaient claires dans son esprit : elle serait femme de science et chercheuse. Heureusement, les laboratoires de son pensionnat étaient très bien équipés, et les élèves pouvaient aller y travailler librement. Geraldine et quatre ou cinq de ses amies adoraient s'y rendre la fin de semaine pour suivre la progression de leurs expériences. «Cela m'enthousiasmait!», dit-elle. Elle a organisé un club de sciences; avec des groupes d'élèves, elle allait observer, dans des usines de la région, les procédés scientifiques employés dans l'industrie. Sa vie était bien équilibrée : elle s'adonnait aussi bien aux arts qu'à l'escrime et au hockey sur gazon. Toutefois, elle regrettait que le lancer du javelot et du disque, qu'elle avait appris à l'école des garçons, n'ait pas été autorisé au pensionnat.

Pendant l'été de 1961, Geraldine fait un stage d'études dans un établissement de renommée mondiale : les Clarendon

Physics Laboratories. La camaraderie qui règne dans le milieu de la recherche scientifique lui plait beaucoup. «Bien des gens ne réalisent pas à quel point l'aspect humain compte dans les sciences. Une équipe de chercheurs, c'est presque une famille. Quand une expérience dure plusieurs dizaines d'heures, il arrive même qu'on dorme au laboratoire. On vit, on dort, on respire des idées ensemble. C'est très gratifiant, et on noue des amitiés merveilleuses.»

Geraldine a obtenu une bourse d'études universitaires de la United Kingdom Atomic Energy Authority à Hartwell. Elle a étudié la physique, la chimie et les mathématiques à l'Oxford College of Advanced Technology et a assisté à des conférences à l'Université d'Oxford. Pendant tout ce temps, elle a fait aussi de la recherche, en physique des nuages par exemple, ou dans des tests en tunnel aérodynamique concernant les mouvements des retombées radioactives. Dans l'après-guerre, on avait tellement besoin de scientifiques, d'ingénieurs et de technologues que l'on favorisait les formules novatrices qui combinaient les études de deuxième ou de troisième cycle avec la recherche appliquée. C'est un besoin que l'on ressent fortement au Canada dans les années 90. Geraldine Kenney-Wallace souligne qu'aujourd'hui, les universités ont un large éventail de programmes qui comportent des périodes de stage, permettent de combiner études et travail ou s'adressent à la clientèle de l'éducation permanente. Ces programmes sont accessibles aussi bien aux étudiantes et étudiants de premier cycle qu'à celles et ceux de deuxième et troisième cycles. Les femmes peuvent emprunter bien des chemins pour atteindre un excellent niveau de formation; cette souplesse est un avantage précieux.

Elle-même a dû faire preuve de souplesse. En raison de la longue maladie et de la mort précoce de sa mère (qui souffrait du cancer), elle avait des responsabilités à la maison. Elle a donc décidé de préparer un diplôme en suivant des cours à l'éducation permanente. En même temps, elle était l'assistante personnelle de recherche d'un professeur distingué d'Oxford qui travaillait en biophysique. Elle a obtenu son diplôme au Royal Institute of Chemistry.

Comme elle aimait voyager, Geraldine a décidé de quitter la Grande-Bretagne une fois ses études de premier cycle terminées. Par bonheur, elle a choisi le Canada. Elle a terminé sa maîtrise et fait son doctorat à l'Université de la Colombie-Britannique. Elle n'avait abandonné aucune de ses deux

matières favorites : chimiste et physicienne, elle a été une pionnière de l'étude des lasers. Après son doctorat, en 1970, elle s'est mariée. Elle et son mari font des recherches connexes. Bien qu'ils n'aient pas d'enfants, elle est convaincue qu'une scientifique peut à la fois faire carrière et élever une famille.

Engagée par l'Université de Yale en 1972, Geraldine Kenney-Wallace est entrée en 1974 au département de chimie de l'Université de Toronto afin de mettre sur pied un laboratoire de lasers ultrarapides — le premier à voir le jour dans une université canadienne. Ses recherches portaient sur la dynamique des molécules telle qu'elle peut être observée en pico-secondes (une pico-seconde étant un millionième de millionième de seconde), et maintenant, elle en est aux femto-secondes ($10^{-15}$ s.)! En 1980, elle est devenue membre du département de physique. Elle a été professeure invitée à l'école polytechnique de Paris et à l'Université Stanford. Pendant qu'elle était à Toronto, elle s'est mise à s'intéresser au financement et à la promotion de la recherche scientifique, ce qui l'a amenée à faire du travail de sensibilisation, tant dans le milieu universitaire qu'à l'extérieur. Sa fidélité à la cause scientifique l'a conduite à la présidence du Conseil des sciences du Canada. Cette femme dont toutes les recherches étaient couronnées de succès a obtenu six diplômes honorifiques, a été élue à la Société royale du Canada et, en 1990, a été nommée directrice de l'Université McMaster, à Hamilton. Elle croit fermement en l'importance de cette université, où la recherche est très vivace, et est heureuse d'avoir l'occasion d'y travailler.

Geraldine Kenney-Wallace a trouvé, dans son travail, de quoi satisfaire son goût des voyages et des rencontres. Elle a des collègues scientifiques dans tous les coins du monde. Récemment, à la demande du premier ministre du Canada et du premier ministre du Japon, qui souhaitaient être éclairés sur les perspectives d'avenir en matière de collaboration et de recherche, elle s'est penchée sur les méthodes de recherche employées au Japon et a beaucoup voyagé en Asie. Préoccupée par les dangers qui menacent la planète, elle a siégé à la Table ronde nationale sur l'environnement et l'économie, qui relève directement du premier ministre du Canada. Cette table ronde — comme plusieurs tables rondes provinciales — a été organisée suite à la publication du Rapport de la Commission mondiale sur l'environnement et le développement. Ces groupes ont pour mission d'aider les gouvernements à tenir compte des conséquences

écologiques de leurs décisions, qui pourraient avoir des conséquences technologiques, économiques ou sociales.

Que conseille Geraldine Kenney-Wallace aux jeunes femmes
qui s'apprêtent à choisir une carrière?
«Ouvrez un atlas et observez bien le monde. Dites-vous que c'est
un village global où vous allez trouver votre voie, trouver le
bonheur, trouver des idées.

Et qu'a-t-elle à dire à propos d'une carrière scientifique ?
*«Quel que soit le domaine que vous choisirez, il faudra que
vous ayez assez de connaissances scientifiques pour faire des
choix judicieux en tant que citoyennes. C'est encore plus le
cas à présent que nous savons que l'environnement est menacé.
N'ayez pas peur de la science et de la technologie. Elles peuvent être de puissants agents de changement économique,
social et culturel. Et puis, les carrières scientifiques qui s'offrent
dans les années 1990 sont tellement emballantes que j'aimerais
bien, moi, être encore aux études! Que ce soit en aéronautique
ou en génétique, en génie physique ou en biotechnologie, en
aquiculture ou en océanographie, dans le domaine du laser ou
de l'intelligence artificielle, il y a tant de choses à explorer,
et celles ou ceux qui travaillent dur peuvent espérer tant de
gratifications! Étudier, c'est voyager par l'esprit — partez avec
confiance, ouvrez bien vos yeux, explorez le monde en vous
servant de toutes vos facultés intellectuelles.»*